ちくま

フックス

マイテーマの探し方

◆

探究学習ってどうやるの？

片岡則夫

筑摩書房

本文イラスト　米村知倫／鈴木千佳子／　図版作成協力　アトリエ・プラン

はじめに　「マイテーマ」という宝物を探す旅にでよう

マイテーマ？　探究学習？

自分でテーマを決めて「調べる学習」をしたり「研究論文」を書いたりする、そんな「探究学習」の機会が増えています。私の中学校でも探究学習に力を入れていて、中学1年生からはじめて、3年生では1万字を超える卒業論文を、約1年をかけて書いていきます。

「そんなめんどうで苦しそうなことイヤだな」、「だいたい学んでみたいことなんかないよ」そう思うかもしれませんね。たしかに探究学習は大変です。でも経験した先輩に聞いてもらえばわかります。自分の興味で学んでいたなら、「大変でもホント面白いよ。大事だよ」ときっと言うはずだからです。

とはいえ、「なにを題材（対象）に学ぶか」「なにをテーマ（問い）にして学ぶか」が悩ましいところです。ここを見定められたなら半分以上できたようなものです。つまり、探究学習の道のりは、マイテーマ探しの道のりと重なっています。だからこの本のタイトルは「マイテーマの探し方」なんです。マイテーマを探り当てるための手助け、それがこの本の目的です。探究学習という「学びの旅」のガイドブックです。この本で紹介されている例は中学生（一部は高校生）のものです。しかも、出てくる題材やテーマは、犬や猫やアニメやカラオケなど、とても身近なものですから、きっとみなさんも興味を持ってくれると思います。

「どうして探究学習なんかしなくちゃいけないの？」、「中身が決められたフツーの授業がいいな」。なるほど。でも、考えてみてください。人生は「マイテーマを決める連続」なんです。高校にも「総合的な探究の時間」があり、大学には卒業論文があります。そんなのは序の口で、進学や進路選択といった決断は、「自分が何をしたくてどう進むべきか」という、マイテーマを考えることそのものです。もちろん、社会に出てからも、「どこに行って何をすべきか」、「自分は何者なのか」という問いを、時に自分に発しながら生きていくものなのです。要は、だれかのロボットにならないで、人生を主体的に生きるためにも、チャンスがあれば、マイテーマを考えてほしいのです。

なんだかわかったような、わからない話かもしれません。いまはそれでもいいのです。この本は小さな本ですが、みなさんがマイテーマを探すヒントが詰まっています。ぜひとも探究学習に挑戦してください。学びたいことを学ぶのは、大変でもめちゃめちゃ楽しい経験です。なぜって、自分の興味をとことん追究できるのですから。だから、「なにを学びたい？」という探究学習のスタートの質問は、「なにして遊ぶ？」と、実はとても近いのです。学べば学ぶほど、みなさんの前には大きな世界が広がります。扉を開いて、マイテーマという宝物を探しに行きましょう！

◆この本の構成

この本は5つの章からできています。はじめての探究学習である「ミニ調べる学習」から、一般的な「調べる学習」、そして本格派の「研究論文」まで、学びの道のりに沿って、構成されています（8〜9ページのイラストも見てください）。

第1章は「**ミニ調べる学習――画用紙1枚で探究学習をはじめよう**」です。画用紙1枚に興味を持ったことをまとめてみる、探究学習の準備運動です。それほど時間はかかりませんが、この中には探究学習の基礎が詰まっています。探究学習がはじめて、というひとはまずここからスタートです。

第2章は「**マイテーマの探し方①――調べる学習の題材を見つけよう**」です。この章では中学生の探究学習を例にしながら、調べる学習でなにを学ぶのか、その〝題材〟探しを解説しています。なにより興味があり、しかも資料も見つかる題材が、探究学習には必要です。とはいえ、その途中で迷ったり悩んだりするのはふつうで、何度も変更する場合も少なくありません。この章では、企画書を書いて、本に学びながら題材を絞っていく道のりを紹介します。さらに、一見おちゃらけて見えても立派に探究学習になる事例や、逆に近づかないほうがいい分野についても紹介しています。

第3章は「**調べる学習・研究論文の基礎――ピースを作って情報を集めよう**」です。調べる学習の題材が決まったら、資料から引用をして、作品の部品を作ります。引用にコメントと出典（引用のでどころ）を添えた文章をこの本では、「ピース」と呼んでいます。ピースで大変なのはコメントですから、そのコツも伝授します。ピースが集まれば調べる学習の土台が生まれ、もっと集まれば作品の完成形が見えてきます。加えて、図書館やインターネットの使い方についても紹介します。

第4章は「**フィールドワーク・プロジェクトでリアルに学ぶ**」です。どなたかに取材するフィールドワーク、実験や工作・調理などに挑戦するプロジェクト、これらの経験は、探究学習で一番の思い出になるでしょう。取材の申し込みなどの具体的な手順や注意点を解説します。

そして第5章は、「**マイテーマの探し方②——テーマ（問い）を設定して研究論文をデザインしよう**」です。いよいよ、テーマ（問い）を設定して結論（答え）を導く、研究論文のデザイン、ストーリー作りです。問いの立て方や、注意したい探究学習についての考えちがいを解説します。ここを乗り越えて作品が完成できたら、超中学生級です。

最後は「**付録——仲間の学びを助けよう**」です。仲間や後輩にむけて、どんな支援ができるのかを紹介しています。探究学習を手助けできるのは先生や司書の方ばかりではありません。みなさん自身が、アドバイスや添削で役に立つ機会がたくさんあるのです。

調べる学習
題材を決めて
調べる探究学習
第1章
ミニ調べる学習
――画用紙1枚で
探究学習をはじめよう
START
第2章
マイテーマの探し方①
――調べる学習の題材を
見つけよう
第3章
調べる学習・
研究論文の基礎
――ピースを作って
情報を集めよう
インターネットを使う
図書館を使う

探究学習は
「マイテーマ」を探す島めぐり
第4章
フィールドワーク・
プロジェクトで
リアルに学ぶ
研究論文
テーマ（問い）を設定して
結論（答え）を導く探究学習
第5章
マイテーマの探し方②
——テーマ（問い）を
設定して研究論文を
デザインしよう
付録
仲間の学びを
助けよう

目次

第1章

ミニ調べる学習

画用紙1枚で探究学習をはじめよう

探究学習は時間がかかる、と思ってはいませんか。たしかに、半年以上かけて卒業論文を仕上げるような場合もあるでしょう。でも、そんな大プロジェクトにはじめから挑むのは大変です。探究学習は小さくまとめればそれほど時間はかかりません。ここでは4〜5時間でできる、「ミニ調べる学習」に挑戦しましょう。

「いったいなにを調べよう?」。マイテーマ（題材）は難しく考えなくていいのです。興味を持った、気になることならなんでも。ルールに沿って情報を集めてまとめて、アウトプットすれば、そのまま探究学習です。その全体の流れを学びましょう。

用意するのは画用紙1枚とメモ用紙、ハ

「ミニ調べる学習」企画書の例

❶学んでみたいこと（分野や題材）		
マリモ		
❷その題材を選んだきっかけ・動機（なぜ調べようと思ったのか）		
北海道に旅行にいった友だちからマリモをもらいました。「まりちゃん」と名前をつけて部屋の窓辺で育てています。きれいな緑色でかわいいです。でも、マリモがどんな生き物なのか知りません。そこで調べてみることにしました。		
❸図書館で探した本（2冊以上）		
著者名	**タイトル（サブタイトル不要）**	**請求記号（分類番号）**
阿寒マリモ自然誌研究会	まるいはマリモ	474
千葉望	マリモを守る。若菜勇さんの研究	474
阪井与志雄	マリモの科学	474.2

サミとノリ、それに色鉛筆や色ペンなどの筆記用具があると楽しくなります。お弁当箱（画用紙）のなかに、調べたことを詰め込んでいくかんじでしょうか（サンプルは22〜23ページにあります）。

◆企画を立てる

企画書をはじめに書いてみます。❶「**学んでみたいこと**」は単語でかまいません。ここでは「マリモ」（まりのような形をした藻の一種）を例として取り上げてみます。

❷「**その題材を選んだきっかけ・動機**」はなんでしょう。具体的に書いて下さい。たとえば「マリモとどこでどうして出会った？」「どんなところが好き？」「どこに興

事典や辞書が意味や特徴や定義を教えてくれる

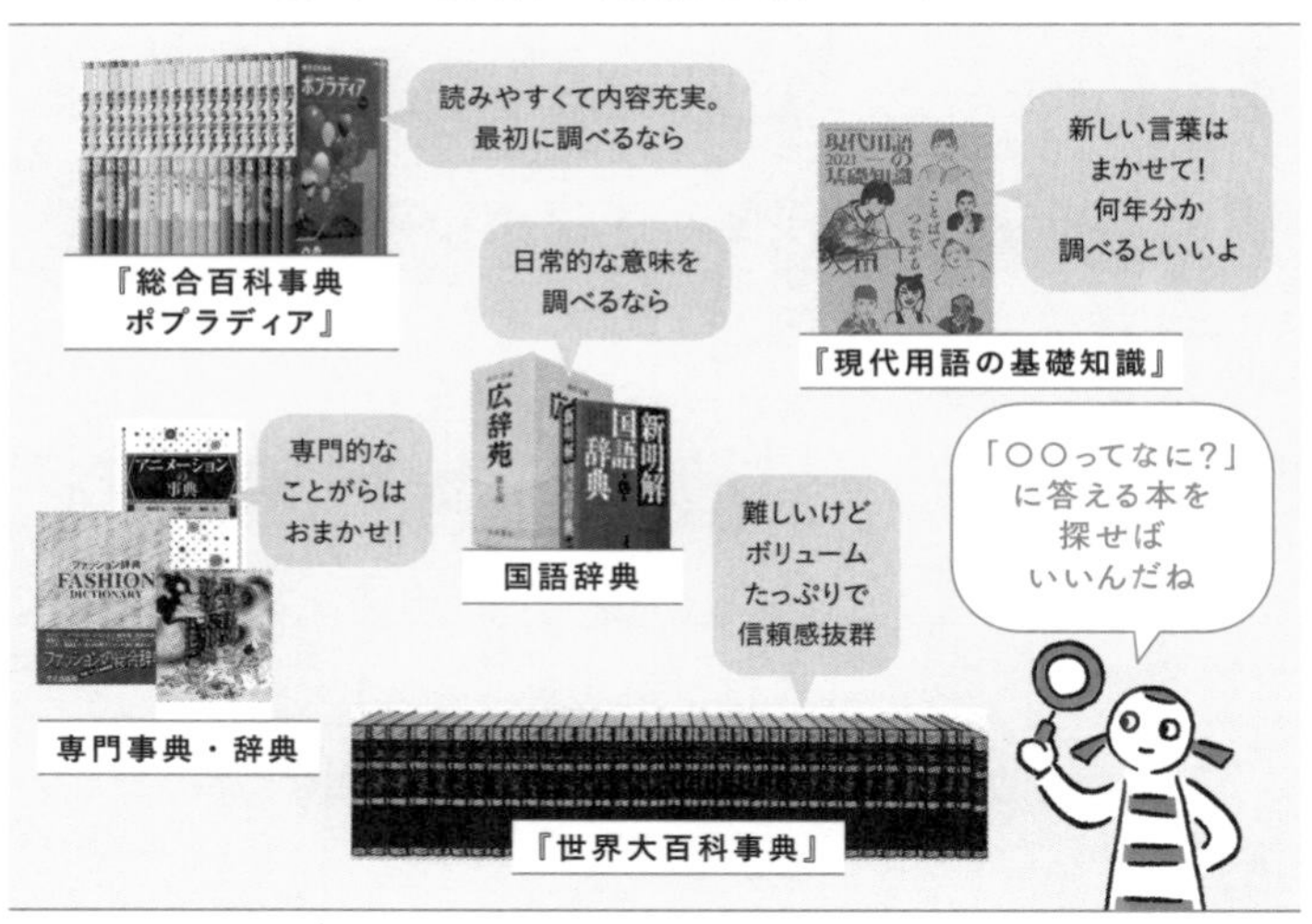

読みやすくて内容充実。
最初に調べるなら
『総合百科事典
ポプラディア』
新しい言葉は
まかせて!
何年分か
調べるといいよ
日常的な意味を
調べるなら
『現代用語の基礎知識』
国語辞典
専門的な
ことがらは
おまかせ!
「○○ってなに?」
に答える本を
探せば
いいんだね
難しいけど
ボリューム
たっぷりで
信頼感抜群
専門事典・辞典
『世界大百科事典』

味を感じた?」……。そんな質問に答えるように書いてみます。さらに、❸「図書館で探した本」は学校図書館や公共図書館で探した本を記録して下さい。うまく見つからないならぜひ司書さんに相談を。ここでは著者名やタイトルをメモします。請求記号（分類番号）は、図書館の本の背表紙にある番号です。図書館の本の住所みたいなものですから、これを書いておけば後からでもすぐに本が探せます。

◆ 事典や辞書を調べる

手はじめに調べるのは百科事典や辞書や図鑑です。というのも、探究学習の第一歩は調べたい言葉の意味調べだからです。要

中学1年生の「ミニ調べる学習」の題材の例

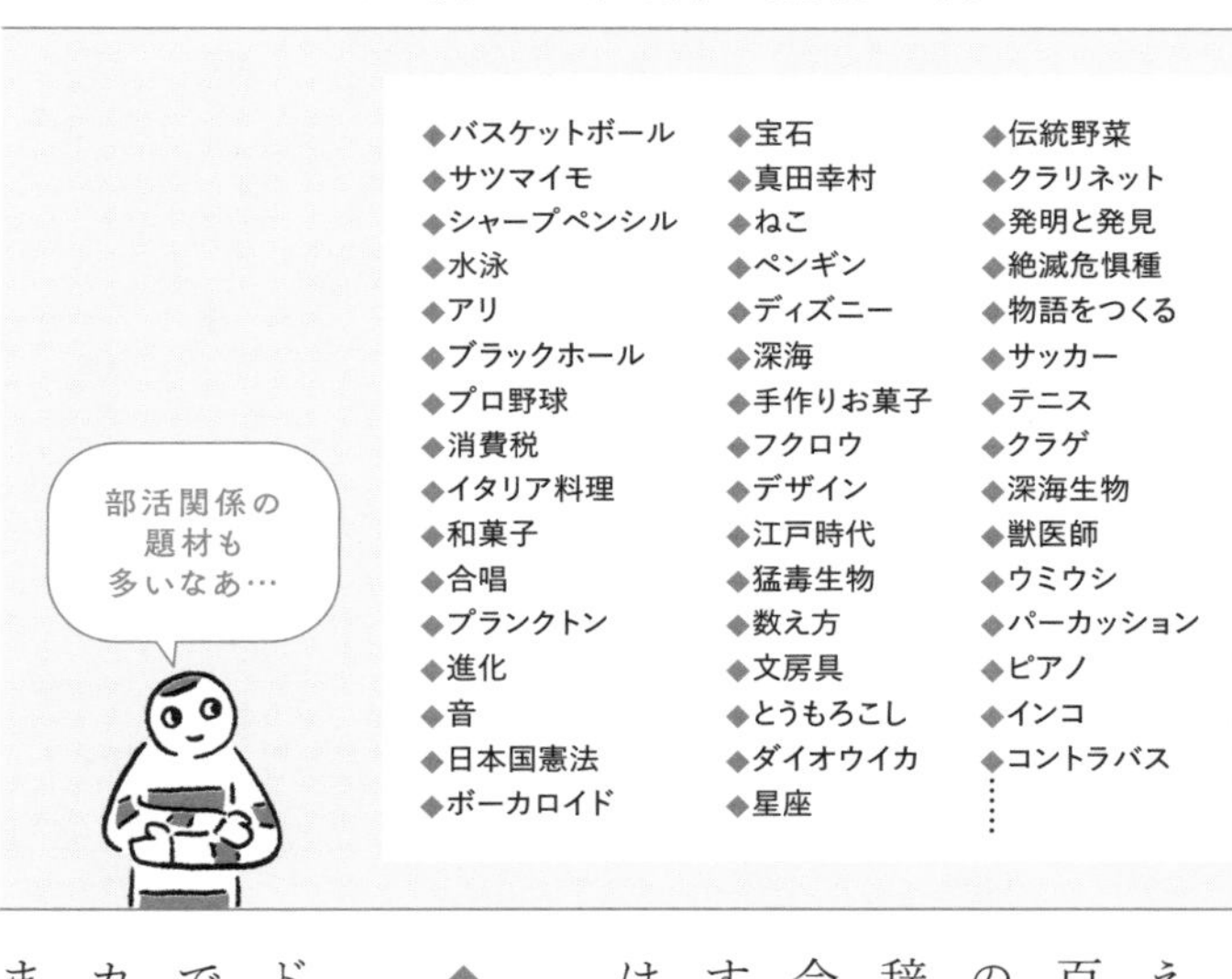

- ◆バスケットボール
- ◆サツマイモ
- ◆シャープペンシル
- ◆水泳
- ◆アリ
- ◆ブラックホール
- ◆プロ野球
- ◆消費税
- ◆イタリア料理
- ◆和菓子
- ◆合唱
- ◆プランクトン
- ◆進化
- ◆音
- ◆日本国憲法
- ◆ボーカロイド
- ◆宝石
- ◆真田幸村
- ◆ねこ
- ◆ペンギン
- ◆ディズニー
- ◆深海
- ◆手作りお菓子
- ◆フクロウ
- ◆デザイン
- ◆江戸時代
- ◆猛毒生物
- ◆数え方
- ◆文房具
- ◆とうもろこし
- ◆ダイオウイカ
- ◆星座
- ◆伝統野菜
- ◆クラリネット
- ◆発明と発見
- ◆絶滅危惧種
- ◆物語をつくる
- ◆サッカー
- ◆テニス
- ◆クラゲ
- ◆深海生物
- ◆獣医師
- ◆ウミウシ
- ◆パーカッション
- ◆ピアノ
- ◆インコ
- ◆コントラバス

……

は、「〇〇とはなにか?」という質問に答えて、特徴や定義を知るわけです。『総合百科事典ポプラディア』といった子ども用の百科事典や、さまざまな学習図鑑、国語辞典がおすすめです。最近のことがらの場合は『現代用語の基礎知識』が役に立ちます（ここでインターネットを使わない理由は72〜75ページにあります）。

◆カードに引用してみる

事典で情報が見つかったら、今度はカードに書きます（薄い色のついたコピー用紙で十分ですし、形も大きさも自由です）。カードには必要な部分を一字一字丸写しします。この書き方が「引用」です。**勝手に**

引用して カードをつくる

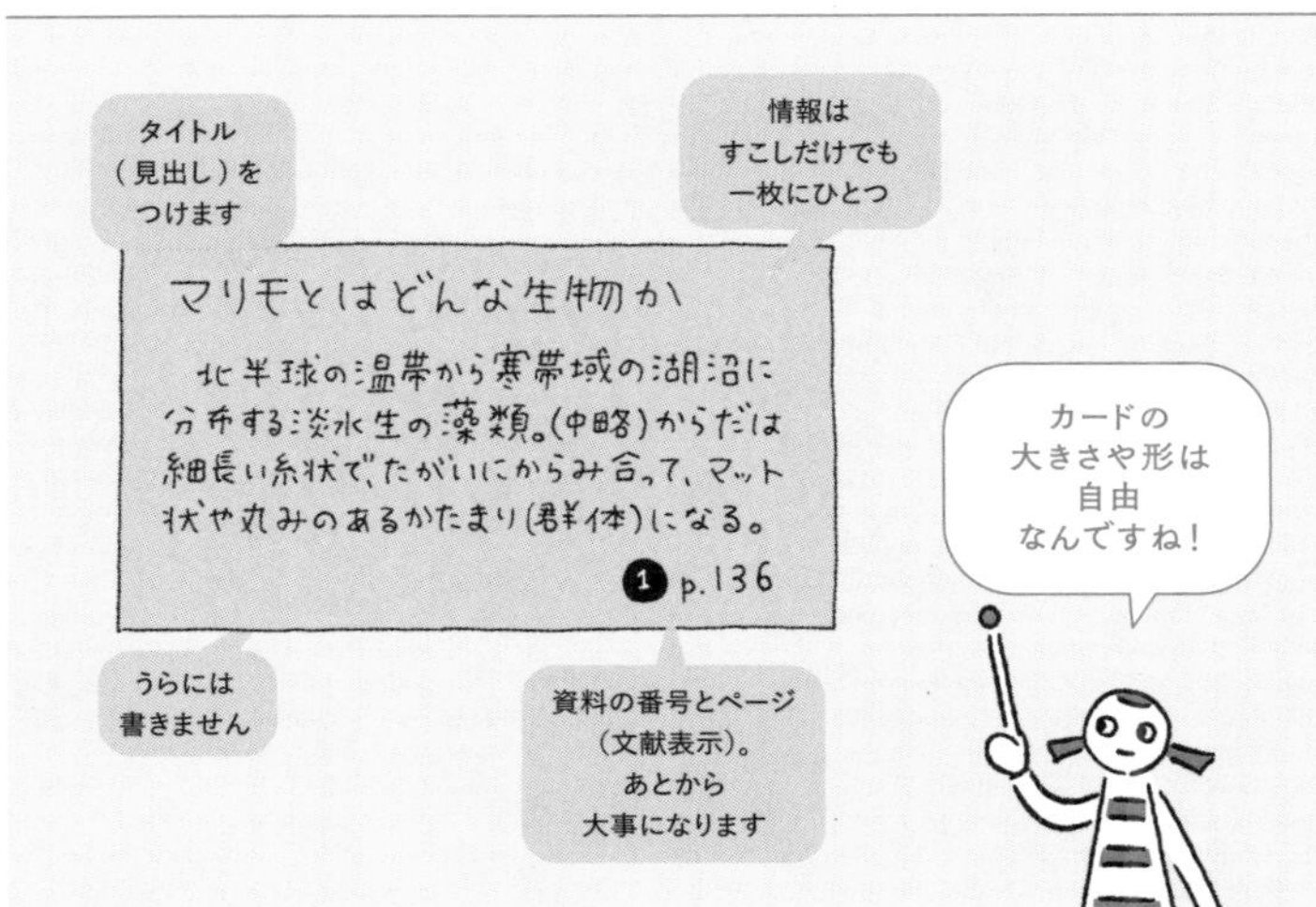

タイトル（見出し）をつけます
情報はすこしだけでも一枚にひとつ
マリモとはどんな生物か
北半球の温帯から寒帯域の湖沼に分布する淡水生の藻類。(中略)からだは細長い糸状で、たがいにからみ合って、マット状や丸みのあるかたまり(群体)になる。
1 p.136
カードの大きさや形は自由なんですね！
うらには書きません
資料の番号とページ（文献表示）。あとから大事になります

「自分の言葉」にしてはいけません。もし途中で省略したいときには、「（中略）」と入れます。あとは、タイトル（見出し）を入れて、資料の通し番号とページ数（これを「文献表示」といいます）を書けば出来上がりです。

もちろん事典類ではない本も面白く読んでいますね。本を読んで「あ、これは大切だな」と感じた場所がでてきたら、すぐにしおりをはさんでおきましょう。こうして、カードを4～5枚も書けば、材料としては十分です（付せん紙を使う時は文字の上に貼ると活字がはがれたりするので要注意です）。

引用カードとコメントをあわせて ひとつの「ピース」に

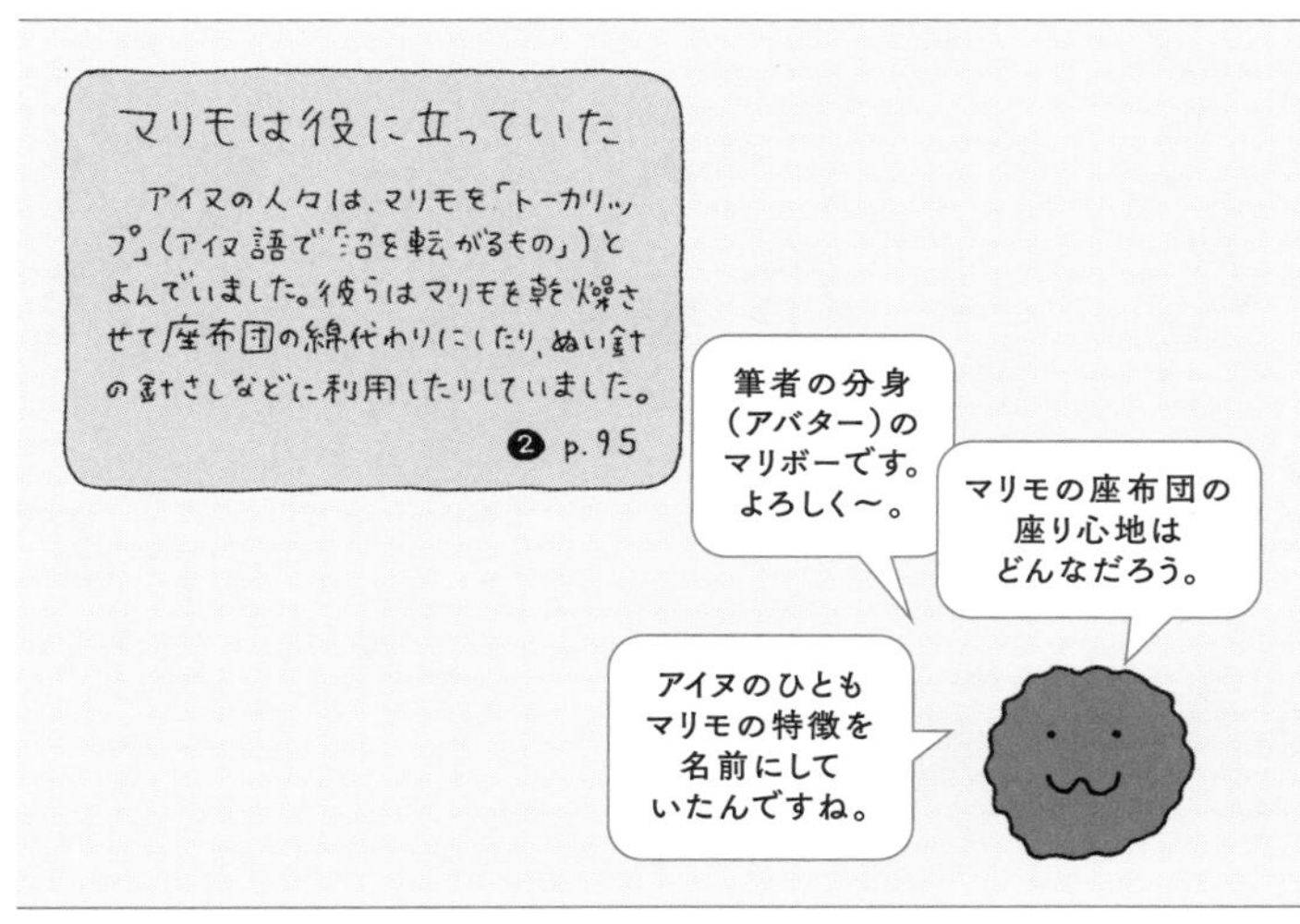

マリモは役に立っていた
アイヌの人々は、マリモを「トーカリップ」(アイヌ語で「沼を転がるもの」)とよんでいました。彼らはマリモを乾燥させて座布団の綿代わりにしたり、ぬい針の針さしなどに利用したりしていました。
❷ p.95
筆者の分身(アバター)のマリボーです。よろしく〜。
マリモの座布団の座り心地はどんなだろう。
アイヌのひともマリモの特徴を名前にしていたんですね。

◆アバターでコメントする

資料を読んで、気になる文章に出会うと、「あっ」とか、「おやっ」と心が動きます。「へぇー」「なるほど」とも感じますね。それらの心の声を具体的に文字にしてみます。はじめは感想かもしれませんが、客観的な意見(コメント)が書けたら素晴(すば)らしいです。

引用は本のなかの人の言葉です。一方、コメントは、自分自身の言葉です。これを区別するために、オリジナルなキャラクターを描(か)いてしゃべらせてみましょう。つまり、あなたのアバター(分身)が「ミニ調べる学習」に登場するわけです。

アバターはオリジナルであれば、なんで

中学生の作ったオリジナルアバターたち

もかまいません。「絵が苦手なんだよな〜」という人は、ボーニンゲンで十分です。○や☆に目や口をつけるだけで表情が出て親しみがわきます。SNSの絵文字ですね。難しく考えず、好きに作って動かして、しゃべらせましょう。アバターが活躍すれば、あなたにしか作れない、オリジナルな作品が生まれます。

ところで、この本では引用カードとコメントをあわせたかたまりを、特別に「**ピース**」（カケラという意味）と呼ぶことにしますので覚えておいてください。

◆参考引用文献リストをつける

資料を使って引用したら、「**参考引用文**

参考引用文献リスト

No.	著者名	書　名	出版社名	出版年	請求記号（分類番号）
❶	秋山仁ほか／監修	総合百科事典 ポプラディア新訂版 10巻	ポプラ社	2011	031
❷	萩原信介／監修	科学のおはなし 植物のふしぎ	PHP研究所	2010	470
❸	千葉望／文 荒谷良一／写真	マリモを守る。若菜勇さんの研究	理論社	2009	474.2
❹		新図詳エリア教科事典 植物	学習研究社	1994	031

献リスト」に書き留めておきます。リストの「No.」は引用のカードの右下の文献表示の番号と対応しています。「著者名・書名・出版社名・出版年」は、本の後ろの方にある「奥付（おくづけ）」を見て下さい。本が手元にあるうちにしっかり書き留めておきましょう。ここでサボってしまうと、あとから図書館でまた本を探さなければなりません。

引用のたびに、こまごま記録するのはめんどうですね。でも、このリストがあなたの探究学習の「原材料表示」なのです。原材料がしっかり書いてある食品は安心して食べられます。だれもが安心して読める作品を作りましょう。

**リストの情報は
奥付から**

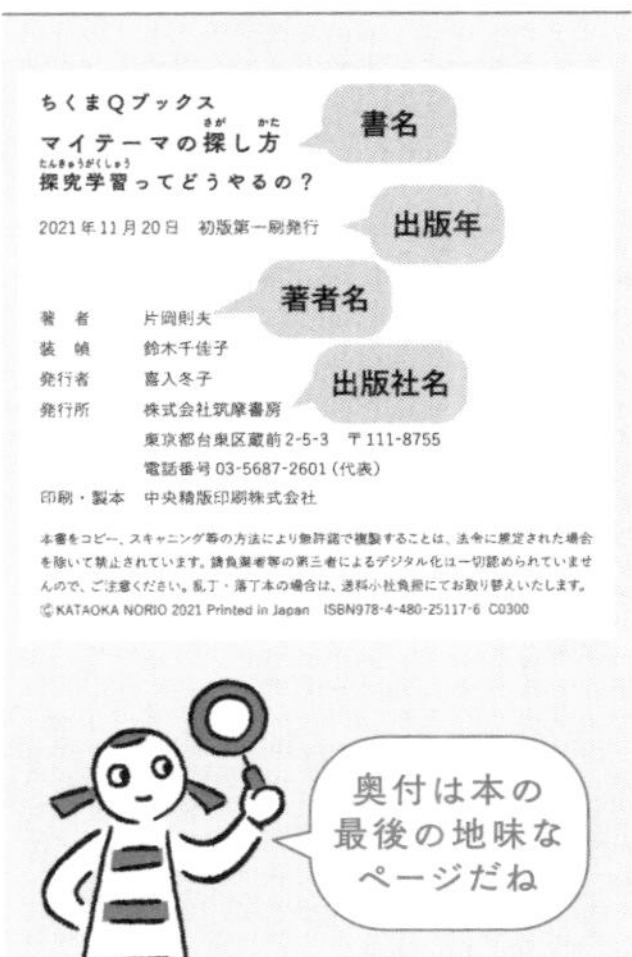
ちくまQブックス
マイテーマの探し方
探究学習ってどうやるの？
2021年11月20日　初版第一刷発行
著　者　片岡則夫
装　幀　鈴木千佳子
発行者　喜入冬子
発行所　株式会社筑摩書房
東京都台東区蔵前2-5-3　〒111-8755
電話番号 03-5687-2601（代表）
印刷・製本　中央精版印刷株式会社
本書をコピー、スキャニング等の方法により無許諾で複製することは、法令に規定された場合を除いて禁止されています。請負業者等の第三者によるデジタル化は一切認められていませんので、ご注意ください。乱丁・落丁本の場合は、送料小社負担にてお取り替えいたします。
©KATAOKA NORIO 2021 Printed in Japan　ISBN978-4-480-25117-6 C0300

◆責任表示とタイトル

「ミニ調べる学習」の責任表示は、本の奥付にあたります。22ページの右下を見てください。映画のエンドロール（クレジット）のほうがわかりやすいでしょうか。つまり、「この作品の責任者は私です」という宣言です。もちろん「著作権」は自分にあります」という意思表示でもあり、この作品が「いつどこで作られたのか」の記録です。

さらに、目立つようにタイトルも書きます。作品の看板ですから、読みたくなる工夫をしたいです。よく「○○について」とか、ただ「○○」というタイトルを書く人がいます。そうではなくて、マリモだったらマリモの何をテーマにしているのかがわかるような、具体的なタイトルにしたいです。

「ミニ調べる学習」どうだったでしょうか。完成したら教室に掲示したりして見せあいま

タイトルは作品の看板です

タイトルは看板。
形や文字にも
こだわりたい
楽しく読みたく
なるタイトル
マリモはどんなイキモノか
きれいな湖からのお客様
サブタイトルを
つけたい
「マリモ」
「マリモに
ついて」は
やめよう！

しょう。作品を二つ折りにして糊で何枚か貼り合わせると、「本」ができてしまうのも楽しいです。

少し手間のかかるところもありましたが、次の章からの、本格的な探究学習の作品づくりも、こうした引用やコメントといったピース作りの繰り返しと積み重ねが基本です。それに、調べていくと、調べたいことが広がって、「画用紙からあふれちゃう！」ということになるかもしれませんね。それこそ「マイテーマ」の芽なのです。

出典がわかれば、写真や絵を写しても大丈夫。

マリモのからだ

ぼくらの体が くずれてゆく…

❸ p.72のイラストから

マリモはなぜ丸い？

マリモは、大きく成長するときに、水中を浮いてただよったり、波で湖底や波打ち際を転がったりします。すると、その運動を通して、きれいなまんまるの形になると考えられています。❷ p.96

引用カードの大きさ・色・形は自由。

まりちゃんはうちに来て3カ月。

食べられません…

大きくなるとバラバラになる！

マリモは役に立っていた

アイヌの人々は、マリモを「トーカリップ」（アイヌ語で「沼を転がるもの」）とよんでいました。彼らはマリモを乾燥させて座布団の綿代わりにしたり、ぬい針の針さしなどに利用したりしていました。❷ p.95

マリモの座布団の座り心地はどんなだろう。今でも使う人がいるのかな？

アイヌのひともマリモの特徴を名前にしていたんですね。

作品をいつ・だれが作ったかを書く責任表示。本の「奥付」と同じ。

参考引用文献リスト

No.	著者名	書　名	出版社名	出版年	請求記号（分類番号）
❶	秋山仁ほか／監修	総合百科事典 ポプラディア新訂版 10巻	ポプラ社	2011	031
❷	萩原信介／監修	科学のおはなし 植物のふしぎ	PHP 研究所	2010	470
❸	今泉忠明／監修	おもしろい！　進化のふしぎ もっとざんねんないきもの事典	高橋書店	2019	480
❹		新図詳エリア教科事典 植物	学習研究社	1994	031

氏名（ふりがな）
北野 美湖
（きたの みこ）
学校名
○○市立○○中学校
1年B組○番
提出
（　　）年（　）月（　）日

参考引用文献リストは使わせてもらったお礼。作品の「原材料」表示でもあります。

「請求記号」は図書館の本の背にある本の住所です。

マリモはどんなイキモノか

きれいな湖からのお客様

画用紙は
まん中で谷折りに
してね!

はじめに

北海道に旅行にいった人からマリモをもらいました。今窓辺のコップの中にいます。マリモがどんな生き物なのかさっぱりわからないので、図書館で調べてみることにしました!

テーマにした
きっかけを
書きます。

マリモだいすき!
オリジナルアバターの
「マリボー」で〜す。

アバターはあなたの分身。
オリジナルなアバターを
活躍させよう!
マンガやアニメなどの
キャラは使用禁止!

みんなマリモって
知ってるかな?

北半球の温帯から寒帯域の湖沼に分布する淡水生の藻類。(中略)からだは細長い糸状で、たがいにからみ合って、マット状や丸みのあるかたまり(群体)になる。

❶ p.136

どこから
引用したのか
文献表示を
書きます。

マリモが育つには
きれいな湖が必要
です。もしきれいな
湖が増えたなら、
日本中でマリモが
みられるようにな
るかも!

アバターには自分の
意見や感想をしゃべ
らせよう!

マリモのなかま

マリモに似た種類には、富士山麓の山中湖に生育するフジマリモや青森県の左京沼などに生息するヒメマリモなどがある。

❹ p.300

第2章

マイテーマの探し方①

調べる学習の題材を見つけよう

本格的な探究学習は、卒業研究や総合学習、夏休みの自由研究として取り組む場合が多いですね。どんな探究学習でも、はじめは「なに学ぶ？」というマイテーマ探しからのスタートです。そこでこの章では、探究学習で学んでみたい興味のある分野探しと、そうした分野の中から絞(しぼ)り込(こ)んで、題材（研究対象）を見つける方法について紹介(しょうかい)します。

◆「何を学んだらいいか」探究学習の条件

「何を学んだらいいか」その条件は授業によっていろいろですが、ここでは、どんな場合でも心に留めておきたい3つの条件を紹介します。

―条件１― 興味を持ち、人に伝える価値があること

「興味がある」、なんて当然です。しかし、長い時間をかけて取り組めるだけの興味を持てる分野や題材が見つかるには、思ったより時間がかかる場合があります。また、「興味がある＝好き」ばかりではありません。たとえば、「それってなんとかしないと」とか、「なんか変」「腹が立つ」といった、問題意識や違和感や怒りも大切なきっかけです。「人に伝える価値がある」というのは、「独りよがりではない」という意味です。たとえば、友だちに説明する場面を想像して下さい。「ねえ、聞いて！　今回の探究学習、すごい面白いよ。なぜって……」と、熱く説得ができるかどうかの問題です。

―条件２― 資料があり、自分の力で扱えること

学びたい分野の本を何冊か見つけられるでしょうか。図書館の司書の方に協力してもらいましょう、必ずなにかを探してもらえます。とはいえ、自分の力で読めて、しかも信頼できる資料を手に入れるには、それなりのコツや努力が必要です。

—条件3— 人とは違うこと

探究学習は「あなたは何者？」と問われます。かっこよく言うと、あなたの個性やオリジナリティがもとにあるから、「何を学んだらいいか」が決まります。では「ネコを学びたい」ひとがクラスに3人いたとします。これで探究学習ができるでしょうか。大丈夫、できます。「ネコの起源と品種」と「ネコの殺処分問題」と「ネコカフェの経営」は全然違う題材だからです。つまり、広がりのある分野なら、違った視点で何人もが同時に学べるのです。「3人が違うネコの本を書く」と考えるといいですね。

◆分野・題材を探すワーク

苦労なく分野や題材が決まる人はめずらしいので、簡単なワークをしてみます。「1時間語れるほど興味を持っている事柄」を書き出してみるのです。メインになる言葉と、それに関係する言葉を、時間を決めて無理にでも書き出してみます。言葉をすぐに思いつかない場合は、なにかしら心にひっかかる言葉を書けるだけ書きます。楽しさ、驚き、喜び、好奇心、怒り、疑問、感動、悲しみ、不安……。心の動きを引き起こすなにかが、題材を導くヒントです。興味は千差万別。人がなんといおうと、心ひかれることがらを正直に書きます。反対に、「資料があって楽にまとまりそうだ」「友だちの視線が気になる」など、目先の損得で発想すると、長続きしないので注意して下さい。

このワーク、さくさく書けて手が止まらない、という人もいるでしょう。反対に、なかなか言葉が出てこない、という人もいるものです。そうした場合は、休み時間にでも友だちに「オレ（わたし）ってふだんどんなこと、しゃべってる？」と尋（たず）ねてみてください。すると意外とあれこれと言ってくれるもので、そうした中にヒントが隠（かく）れていたりもします。

学んでみたい分野や題材を探し出すための「発想法」もいろいろあります。127ページに紹介している本から探して試（ため）してみるのもいいでしょう。とはいえ、書いた言葉がすぐに探究学習に結びつくかどうかはわかりません。大まかにいえば、はじめに書いた言葉が直接研究につながる人は、3分の1くらいです。だから、こうしたワークは分野・題材探しの「スタートの合図」くらいに考えておいたほうがいいのです。

◆「調べる学習」の企画書をつくる

学びたい分野・題材についてのキーワードがあれば企画（きかく）書が書けます。基本は「ミニ調べる学習」と同じです。次の6つの問いに答えて下さい。サンプルは、実際に生徒が題材とした「カラオケ」の作品を参考に作ってみました。彼女の学びからヒントを得た記述がこれからあちこちに出てきます。

❶分野・題材（なにを学びたいのか） はじめは単語で書いてかまいません。ただし、「宇宙」のように大きな言葉ではなく（確かに大きすぎです！）、「彗星」とか「小惑星探査」とか「火星」とか、宇宙のなにに特に興味があるのかを具体的に書くようにします。

❷動機（なにがきっかけなのか） 興味を持ったきっかけや体験を文章にします。「好きだから」「興味を持ったから」「調べたいから」と書きたくなります。そこで、「なぜ好きなのか」「どこに興味を持ったのか」「なぜ調べたくなったのか」をくわしく書きます。この部分がのちに「あとがき」になります。また、先生や司書さんはあなたの動機やその背景を知ってこそ、丁寧なアドバイスや資料提供ができるようになります。ぜひ興味を持った出会いの瞬間や、どれほどこの分野や題材にこだわりを持っているのかを熱く語って下さい。

❸基礎資料（手はじめになにを学ぶのか） 企画書を書くには基礎的な知識が必要です。そのための資料（最低3冊）を選んで、**書誌情報**（本を特定するのに必要な情報）を書き

探究学習企画書の例

❶分野・題材

カラオケ

なにを題材に?

❷その題材を選んだきっかけ・動機（なぜ調べようと思ったのか）

小学校のころから友だちとカラオケで歌うのが大好きで、中学生になってもカラオケボックスで歌って、楽しんでいる。私たちは合いの手を入れたり、一緒に歌ったり、タンバリンやマラカスなどの小さな楽器を使って一緒に盛り上がることができる。人と人との素晴らしいつながりが生まれるカラオケを調べてみたい。

どんなきっかけ?

❸基礎資料

著者	出版年	タイトル	出版社	請求記号
鳥賀陽弘道	2008	『カラオケ秘史――創意工夫の世界革命』	新潮社	673.94
インタービジョン21編	2001	『図解「儲け」のカラクリ』	三笠書房	673.04
野口恒	2005	『カラオケ文化産業論――21世紀の「生きがい社会」をつくる』	PHP研究所	673.94

どんな本を読む?

❹内容

・カラオケのはじまり、歴史、機器の進歩
・どんな曲が歌われているのか
・カラオケボックスの経営について

どんなことを調べる?

いろんな質問に答えないといけないなあ…

❺フィールドワーク・プロジェクトのアイデア

・カラオケボックスの取材（バリアフリーカラオケ）
・カラオケスタジオ協会への取材

どこ行く? なにする?

❻研究の意義・価値

・コミュニケーションとしてのカラオケの大切さ
・中学生や家族が安心して楽しめる娯楽の重要性

学習にはどんな意味?

ます。「著者（出版年）『タイトル』・出版社・請求記号」です。請求記号は図書館の本の場合に書きます。こうした一覧が、ゆくゆくは参考引用文献リストになります。

❹内容（どんなことを学ぶのか） 百科事典で調べた意味や特徴や定義に加えて、起源と歴史、分類や種類、現状などは基礎知識としておさえておきたいですね。それ以外にも大切だと思うことはなんでも書いてみて下さい。手元の本の目次が参考になります。

❺フィールドワーク・プロジェクトのアイデア（どうやって現場から学ぶのか） 「あの先生に会えたらいいな」とか「こんな会社に取材したい」というフィールドワーク、「実験や調理をしたい」あるいは「〇〇の作製に挑戦」といったプロジェクトのアイデアを書き出します。実際にできるかどうかよりアイデアが大事です。よく「頭でっかち」といいますが、リアルな現実を知らないで、学んだつもりになってはいけません（だから、図書館やインターネットでの調査はフィールドワークやプロジェクトとはいいません）。

❻研究の意義・価値（なぜ学ぶのか） 探究学習で大切なのは「人々や社会にとっての意味づけ」です。「その作品はみんなにとって、どんな価値やよさがあるの？」、そんな問いに答えてください。だからこの項目は「なぜ自分が学ぶのか」という❷の動機（個人的なきっかけ）とは別です。この項目が将来、作品の「はじめに」に書かれます。企画書の一番

難しい部分です。ヒントは、参考にしている本のまえがきです。そこには「この本をなぜ書いたのか」その意義が述べられていることが多いからです。

企画書の目的、それは探究学習で何をしたいのか、どんな関心をもっているのかの「整理」です。完璧(かんぺき)でなくてかまいません。また、この企画通りに探究学習が進むこともあまりありません。とにかく書き出す中で方向を手さぐりするのです。

さて、ここまで演習をしてきてどうでしょうか。実は企画書が書けない、そもそも何をしてよいかわからない、という場合も多いのです。「これが学んでみたいコトなんだ！」という決断ができれば探究学習は相当進みます。まずは本を手当たりしだい読んでみて、その題材の世界に入っていく元気が出るかどうかを確かめましょう。

◆どんな分野が人気？　先輩たちの学び

「何を学んでもいいよ」と言われて、かえってぼう然としてしまう人は、少なくありません。そんな時には先輩(せんぱい)たちの学んだ中身を覗(のぞ)いてみます。ここでは私の学校の、過去14年、約2800名の卒業研究の記録から紹介しましょう。表は「先輩がどんなことを学んだのかランキング」です。その中から人気のあった上位100を紹介します。第1位は「犬」で26人です。頻度（人数）のとなりの「‰（パーミル）」は割合を示す単位です。%は百分率ですが、「‰」は「千分率」の単位で、ふだんは使いませんが、ごく小さな割合を考えるには便利です。たとえば、犬を学んだ人の割合は9・4‰（0・94%）ですから、1000人いれば9〜10人は犬を学んでいるのです。もちろん、26人が同じことを調べているわけではありません。探究学習の題材や視点はさまざまです。また、人気の分野だからといって「いい分野だ」と言っているわけではありません。反対に、「ありがちで面白くない」といっているわけでもありません。おしなべて中学生が興味を持つ分野はこのあたり、というだけの話です。

◆「おちゃらけ分野・題材」を真面目に学ぼう

ところで、世の中には「おちゃらけて、不真面目」「趣味・娯楽」「嗜好品」「時間つぶし」「不摂生」などと見られているモノゴトがあります。たとえば、マンガ・テレビゲーム・アニメ・ボーカロイド・カジノ・声優・ライトノベル・清涼飲料水・インスタントラーメンなどです。この項は、そうした「おちゃらけ分野」に興味を持っている人へのアド

探究学習でどんなことを学んだのかランキング100

（中学3年生の卒業研究2759名の記録から）

順位	題材（学習件名）	頻度	‰
1	犬	26	9.4
2	睡眠	23	8.3
3	ゲーム	21	7.6
4	コンビニエンスストア	19	6.9
5	自動車	18	6.5
5	サッカー	18	6.5
7	野球	17	6.2
7	ファッション	17	6.2
7	チョコレート	17	6.2
10	栄養	16	5.8
10	ディズニーランド	16	5.8
12	地震	15	5.4
12	和菓子	15	5.4
12	紅茶	15	5.4
12	色	15	5.4
12	映画	15	5.4
12	テレビ	15	5.4
12	アニメーション	15	5.4
19	薬	14	5.1
20	米	13	4.7
20	建築	13	4.7
20	広告	13	4.7
20	だんじり	13	4.7
24	猫	12	4.3
24	宇宙	12	4.3
24	インスタントラーメン	12	4.3
27	飛行機	11	4.0
27	菓子	11	4.0
27	看護師	11	4.0
27	ロボット	11	4.0
27	オリンピック	11	4.0
32	盲導犬	10	3.6
32	茶	10	3.6
32	方言	10	3.6
32	時計	10	3.6
32	宇宙開発	10	3.6
32	パン	10	3.6
38	天気	9	3.3
38	住宅	9	3.3
38	自転車	9	3.3
38	獣医	9	3.3
38	バスケットボール	9	3.3
38	スポーツ栄養	9	3.3
38	インテリア	9	3.3
38	キャビンアテンダント	9	3.3
38	アイスクリーム	9	3.3
47	野菜	8	2.9
47	百人一首	8	2.9
47	文房具	8	2.9
47	食品添加物	8	2.9
47	教師	8	2.9
47	世界遺産	8	2.9
47	城	8	2.9
47	携帯電話	8	2.9
47	歯	8	2.9
47	花火	8	2.9
47	温泉	8	2.9
47	ボーカロイド	8	2.9
47	ギター	8	2.9
60	和食	7	2.5
60	洋菓子	7	2.5
60	認知症	7	2.5
60	着物	7	2.5
60	味覚	7	2.5
60	漫画	7	2.5
60	自衛隊	7	2.5
60	声優	7	2.5
60	筋肉	7	2.5
60	心理学	7	2.5
60	裁判	7	2.5
60	バレーボール	7	2.5
60	ファストフード	7	2.5
60	パッケージデザイン	7	2.5
60	キノコ	7	2.5
60	ジブリ	7	2.5
60	コンピュータ	7	2.5
60	がん	7	2.5
60	チーズ	7	2.5
60	コーヒー	7	2.5
60	テニス	7	2.5
60	ギリシア神話	7	2.5
82	旅行	6	2.2
82	薬剤師	6	2.2
82	動物園	6	2.2
82	髪	6	2.2
82	相対性理論	6	2.2
82	戦国時代	6	2.2
82	名字	6	2.2
82	忍者	6	2.2
82	太平洋戦争	6	2.2
82	剣道	6	2.2
82	三国志	6	2.2
82	寿司	6	2.2
82	花粉症	6	2.2
82	ペンギン	6	2.2
82	株	6	2.2
82	インターネット	6	2.2
82	スポーツ医学	6	2.2
82	イルカ	6	2.2
100	宝石	5	1.8

バイスです。

こうした分野で探究学習をしようとすると、「興味本位だ」、「好きなことを並べるだけ」、「おちゃらけだ」といわれやすいです。では、なぜこれらはおちゃらけて見られるのでしょうか。それはこれらが人の「楽しさ」や「心地好さ（快楽）」、ときに「自堕落な（だらしのない）生活」に直結しているからなのです。「ゲームばっかりして！」と怒られた経験のある人、少なくないですよね。

もちろん「テレビゲーム（ボーカロイド・声優……）の探究学習を真面目にするんです！」といいたいところです。だからこそ、「そんなドーデモイイコトを学んで一体どうするんだ？」、「もっと価値ある大切な問題は世の中にいくらでもある」といった言葉を跳ね返す説得力が求められるのです。そこでここでは「分野・題材」の真面目・不真面目と、「探究学習の姿勢」の真面目・不真面目の区別をして、4つに整理してみます。

——A——真面目な分野や題材を真面目に学ぶ

——B——不真面目（おちゃらけ）な分野や題材を真面目に学ぶ

——C——真面目な分野や題材を不真面目に学ぶ

―D― 不真面目（おちゃらけ）な分野や題材を不真面目に学ぶ

結論からいえば、AとBは「あり」、CとDは「なし」です。探究学習の分野・題材に良い悪いはありません。学ぶ姿勢さえ真面目なら探究学習はなんでもありなのです。

もし「そんな不真面目な分野はダメだよ」といわれたらどうすればいいでしょうか。まず、司書さんに相談して本を何冊か手に入れてください。かならず真面目なおちゃらけモノ研究の本があるはずです。多くは一般書（大人向けの本）ですが、それらを興味深く読めたのなら、先生の前に積み上げて、「アニメ（マンガ・カラオケ……）は、こんなにも重要な文化（商品・サービス……）です。そもそもそうした作品やサービスを制作する人が不真面目なはずはありません。だから、学ぶに値するに決まっています」と、先生を説得しましょう。

「市場規模（取引するお金の量）」というキーワードも紹介しておきます。たとえば声優のかかわるエンタメの市場規模は、アニメ産業だけでなくアプリゲームやライブ・イベントなど合計で4兆円近くといわれます（『日本経済新聞』２０２１年3月31日朝刊）。それだけ大きなお金が動いているのですから、声優には価値があるに決まっています。

◆先輩が撤退していった要注意の9分野

そういうわけで、どんな分野・題材であれ、「興味」と「資料」と「説得力」があれば、探究学習はできます。しかし、先輩の探究学習を眺めていると、なかなかうまくいかなかった例も少なくないのです。手におえなくなって振り出しに戻ったケースは、もっとたくさんあります。そうした、「よっぽど決心しないと、近づかないほうが無難かな〜」という、撤退しがちな分野や題材を紹介しておきます。以下にその理由と、「どうしてもテーマにしたい場合の説得のコツ」、アドバイスを紹介します。

タレント・テーマパークグループ　「好き・LOVE」だけでは難しい

―**理由**―　**K-POP・ジャニーズ・USJ・ディズニーランド**など、**アイドル・タレント・遊園地**は「ファン」のままでは調べる学習が難しいからです。「好き」を動機に気軽に挑んで挫折する生徒が毎年現れます。

―**説得のコツ**―　①ファンブックではなく、大人向けの一般書を探して読みます。②それらの資料をもとに企画書をつくります。③アイドル・テーマパークは〝LOVE〟以外のなにに注目しているのか、例をあげて説明します。

―**アドバイス**―　ＵＳＪ・ジャニーズは上場企業ではないので、もともと資料が少ないです。同様に、ここ1～2年流行っているアイドルにもまとまった資料はありません。一方、Ｋ－ＰＯＰやアイドルグループ、ディズニーランドにはそれなりに一般書があります。

こころグループ　「形」のないモノはわけがわからなくなりがち

―**理由**―　心理学関係は難物です。取り出して目の前に置けない「こころ」は、取り扱いが難しいからです。夢・性格・人の気持ち・対人恐怖・心を癒す音楽・苦手意識、表情・笑い等も同様に避けましょう。記憶・錯覚に興味を持つ生徒も多いですが、少し踏み込めば、脳科学の問題でけっこう難しいです。

―**説得のコツ**―　①どうしても、というなら探して読んだ資料を先生に何冊か紹介します。②特に心理学では心理学のどの分野に、どんな興味があるのかを示します。

―**アドバイス**―　しっかりした入門書を読みます。「心が読める」という本もありますが、心理学で人の心は読めません。心について科学で解明されていることはわずかです。

オカルト・疑似科学「トンデモ本」グループ

信じるのは勝手だけれど証拠はないよ

理由 ― **UFO**（**宇宙人**）・**超能力**は存在する確証がありません。あるのかないのか、わからないものは研究できません。**血液型と性格**・**超心理学**・**波動**・**クラスター**等の科学的な雰囲気をまとった**疑似科学**あるいは**陰謀論**も同様です。

説得のコツ ― ①宇宙人を連れて来てください。空中浮遊してください。②疑似科学・陰謀論は飛躍した論理で「証明できない事柄」を主張します。こうした出版物はまとめて「トンデモ本」と呼ばれます。説得もできません。

アドバイス ― 妖怪・地獄などは探究学習でよく取り上げられます。これらについて「書かれたモノ」は存在するので、それらを通じて人間を研究できるからです。百科事典を調べて、図書館の「民俗学」の棚に行って下さい。伝説はもちろん、幽霊もドラゴンもいて楽しいです。

民間療法・健康法グループ

効果は個人の感想です

理由 ― **アロマテラピー**・**カラーセラピー**など、民間療法は効果の科学的な根拠がはっきりしないからです。効果が科学的に認められれば、医師が治療で使います。**健康食品**・

サプリメントなども同様です。「個人の感想であり効果・効能を示すものではありません」と広告の隅に書いてある場合が多いです。水や健康食品の悪質な商品・商法もよく報道されます。水で万病が治療できるなら、医師は必要ありません。

―**説得のコツ**―　こうした分野に興味があるのなら、香・香料、色彩学、薬用植物学、栄養学をはじめに学んで下さい。どれも学問的な背景があります。

―**アドバイス**―　各種の検定テキストもありますが、効果のエビデンス（証拠）は示されません。「効果が期待できます」などと書かれているのが一般的です。

美容グループ　効果よりビジネスや技術が無難

―**理由**―　**肌荒れ・美肌・ダイエット・エステ・歯列矯正**等は、医療・健康の問題であり、いずれ専門的になるからです。ハウツーテーマ（103ページ参照）にもなりやすいです。

―**説得のコツ**―　信頼できる医師の書いた一般書を読んでください。各種施術の効果に科学的な根拠はそれほどありませんから、「○○法」にはまり込まないように注意します。

―**アドバイス**―　化粧品や化粧の本は多く頼りがいがあります。関連して、**美人**は資料が大人向けの本に限られます。**モデル**は資料不足での撤退例が多いです。ネイルアートや美容に興味があるなら、ビジネスや技術など視点を変えての説得が有効かも。

犯罪・ミリタリーグループ　趣味で犯罪や人殺しを扱わない

理由―**麻薬・ヤクザ**など、法律違反の薬物・集団は興味本位には扱えないからです。**銃・兵器・戦争**なども同様です。

説得のコツ―①麻薬やヤクザは社会問題として扱います。②ミリタリーはテーマを絞り、趣味をこえてなぜ研究に値するのかその意義を示します。

アドバイス―ゲームやフィクションではなく、学習なので犯罪・戦争・殺人を扱うにはそれなりの覚悟が必要です。武器や兵器が実際に使われて、多くの人が傷つき死んでいます。「銃を向けられる側」への想像力を持ちましょう。

マンガ・映画・ゲームの作品論グループ　読む力・書く力が必要

理由―**ジブリ（宮崎アニメ）・ゴジラ・仮面ライダー・ウルトラマン**など、映画や番組・マンガ・ゲームなどの作品を扱うには、かなりの力が必要だからです。まとめて「作品論」グループといいます。ジブリと宮崎駿監督作品は途中であきらめるテーマのナンバー1です。

―説得のコツ―　アニメ・マンガ・特撮(とくさつ)系は大量に本があります。どれだけ読み込んでいるかを見ます。作品を徹底(てってい)して読んだり鑑賞(かんしょう)したりするのは当然です。その上で、その作品について書かれた資料を十分に読み込まないと研究ははじまりません。

―アドバイス―　作品論を書き上げた生徒には、それなりに読んで書く力がありました。

SNSグループ　使いこなすことと研究は別

―理由―　特定のアプリTwitter・Instagram・TikTok・YouTube・LINEなどは現在進行形で資料を追いかけるのが大変だからです。情報開示していない企業もあります。

―説得のコツ―　①SNS全体の基礎的な知識を学びます。資料は豊富です。②読んだ資料を持参して、どの本のどこがどう面白いのかを説明します。

―アドバイス―　SNS自体の理解は結構大変です。一方で、若者のスマホ使用については資料が多いです。「YouTubeの番組作成」などプロジェクト型研究はありかもしれません。

高度科学・テクノロジーグループ　なで回して終わる

―**理由**― ブラックホール・相対性理論・VRは難しいです。「スゲー」で飛びついても、ふつうは手におえません。周辺の知識をかじってなで回して終わります。

―**説得のコツ**― どれだけ資料を理解したかで判断します。

―**アドバイス**― 技術や理論はそれなりに学び、違った角度、たとえば「ブラックホールを報道する新聞記事」といった題材を考えてみて下さい。

ずいぶんいろいろ書きましたが「こうした分野の探究学習がなにがなんでもダメ」と言っているわけではありません。興味を持つのは良いことです。しかし、思い出して下さい。「資料があって自分の力で扱える」、もテーマの条件でした。繰り返しになりますが、どんな分野でも興味のほかに「資料」と「説得力」が必要です。これらの要注意分野に取り組みたいと生徒が言ったなら、「やめたほうが無難だよ」とはじめは言います。しかし、こうしたアドバイスを読んで、「それでもやっぱり」と、かじりつくなら止めませんし、援助はできます。

じつは、どんな要注意分野でも、「あ、この生徒なら何とかなりそうだな」と思わせるいいしるしがあります。ほんとは内緒なのですが明かしてしまうと、本につけられたたくさんの付せん紙がそのサインです。そこにびっしり字が書いてあったりすると、たちまち信頼度アップです。たとえ要注意分野であっても、そうしたこだわりを見せて、調べる学習の作品を作り上げた先輩もまた多いのです。

◆分野の中から「題材」を探す――「アニメのなに？」

さて、興味がある「分野」が見つかったからと言って、それがすぐに探究学習の題材（研究対象）になるわけではありません。企画書に書かれるのは、はじめはかなり大きな言葉です。たとえばあるクラスの企画書には「アニメ」「ゲーム」「ファッション」「デザイン」「ペット」「音楽」……と、書かれていました。

企画書を読めば、その生徒の興味のありかはそれなりにわかります。でも、これらの単語だけを見せられたなら、間違いなく「アニメがなに？」とか、「ゲームのなに？」「なんのファッション？」と聞くでしょう。

たとえば「アニメが好き」といったところで、取り上げる対象、つまりジャンルや監督や作品は、人によって当然違います。宮崎駿監督作品、新海誠（しんかいまこと）監督作品、ディズニー（ウォルト・ディズニー・カンパニー）のアニメ作品、「くまのプーさん」、すべての日本製アニメ……。一方、それらをどんな視点から考えるかもまた違います。脚本、色彩設計、登場人物、原作、興行収入……。これを簡単に表にしてみました。実際に生徒が探究学習で取り上げたことがらがA~Eのマス目に入ります。具体的には次のような題材が選ばれました。

A　宮崎駿監督作品の食事シーン
B　新海誠監督作品の色彩設計
C　ディズニー作品の登場人物（ディズニープリンセスの比較）
D　「くまのプーさん」の原作と劇場版アニメ
E　日本製アニメーションの興行収入

ひとくちに「アニメ」と言っても、それこそ数えられないくらいの対象や視点があるのがわかります。毎年「要注意の「作品論グループ」だよ」と呼びかけても宮崎アニメに取り組む生徒は後を絶ちません。しかも、同じ探究学習には当然ならないのです。宮崎駿論の本がたくさんあるように、題材や視点はいくらでもあるからです。

研究対象と視点を組み合わせて 題材が決まる

対象＼視点	脚本	登場人物	色彩設計	原作	興行収入
宮崎駿監督作品	A				
新海誠監督作品			B		
ディズニー作品		C			
「くまのプーさん」				D	
日本製アニメ					E

◆「ヨーロッパに行く」って、どこになにしに行くの？

というわけで、「アニメやります」というのは、まるで「ヨーロッパに行きます」と言うのと同じになります。「……で、ヨーロッパのどこ行くの？」「ヨーロッパになにしに行くの？」といろいろ突っ込まれて当然だからです。アニメやゲームやファッションという言葉の背後には、ヨーロッパのような巨大な世界が広がっています。大きな図書館や書店に行けば、「アニメ」「ファッション」「ゲーム」それぞれに、いくつもの本棚がありますね。題材を絞るということは、「アニメ大陸」「ゲーム大陸」

「ファッション大陸」の、「どこになにをしに行くんですか？」という問いに答えることにほかならないのです。だから、興味があるのなら、それらの大陸（本棚）にまずは分け入って、とにかく資料を手あたりしだい、やみくもに読むしかありません。題材の扱う範囲が狭いほど、読むべき資料の焦点が絞りやすくなります。

つまり、「どこに行くの？」という問いには「ヨーロッパに行く」ではなく、「スペインのバルセロナに行く」と答えなければなりません。さらに、「なにしに行くの？」という問いには、「観光に行く」でなく、「ガウディの建築を見に行く」と答えなければならないのです。

ついでに、ゲームとファッションについても、どんな題材があったのか次ページの図に簡単にまとめておきました。参考にして下さい。

◆無駄と遠回りが「学びたいこと」を連れてくる

この章はこの項でおしまいです。ここでは、卒業する中学3年生が後輩たちに残した分野・題材選びについてのアドバイスを紹介しましょう。

ゲームやファッションの世界で何を学ぶ？

（中学3年生の卒業研究から）

「本を読んで面白くないと思ったら、早いうちに方針を変えるのをオススメします」

「自分は途中で2回ほど題材を変えて時間を無駄にしました。できる限り調べたいことを早く決めるべきです」

「自分が好きなもの、好きなことには嘘をつかず正直になる。自分の好きなことは隠さない。きっと後悔することになる。謎の余裕を出してサボるんじゃなくて、もっと早くから本気で取り組めばよかった」

「自分も興味がないことを〝楽そうだ〟からと思って始めてしまったせいで、書く量が増えるごとに引き返せなくて、結局完成せずに提出日を迎えることになった」

アドバイスで共通しているのは、自分の興味への正直さと、方針を変える勇気です。「つまらなそうな道」はどこまで行ってもたぶん「つまらない道」です。

「書き出して途中で興味がなくって、書いたことが無駄になったらどうするんですか」と訴(うった)えてきた生徒もいました。確かにそうですね。はっきりいえば、探究学習には無駄が必要です。本を読んだり書いたりしているうちに、「これは違う」と思い至ることも前進の一部分なのです。それに、たとえ書いたことが無駄になったとしても、情報を集めたりピースを作ったり、出典の書誌情報を書いたりするスキルは当然育っていますから、そんなに落胆(らくたん)する必要はありません。そもそも頭を切りかえて学びなおしたほうがずっと気分がいいです。危険なのは、「やる気のある題材が見つかったらなんとかなるやろ」とばかり何もしようとしない〝謎の余裕〟パターンです。こうした態度を引き起こす「なるやろウイルス」は友だちに感染(かんせん)していく場合もありますから要注意です。

……探究学習は謎ばかりですね。でもここに紹介したような遠回りや道草がけっこう大事なのです。先がわからなくてもワクワクする小道があって、入り込んでみたら思わぬ楽しい場所に出た！　そんな経験はありませんか？　さまよう途中で風景が開けて、登るべき山の頂きが見えたりする、そんな不思議な経験を探究学習は連れてきます。

第3章

調べる学習・研究論文の基礎

ピースを作って情報を集めよう

前の章では興味のある分野を見つけて、題材へと絞り込む手順を考えてきました。ようやっと自分らしいマイテーマが見えてきたかもしれません。ここからは「調べる学習」の作品を作りあげる手立てを紹介しましょう。方針がとりあえずでも決まったら、この章を読んですぐに書きはじめましょう。手が動いてこそ頭が働きます。

◆調べる学習の基本的な型

長い文章をまとめようとすると、どうしても「型（書式）」が必要になります。この本もそうした型に沿って作られていますが、調べる学習も同じです。

❶表紙・タイトルと執筆者　タイトルにはサブタイトルもつけます。執筆者のところには学校名・クラス番号・提出年月日も書きます。後輩や学校外の人も読者となるからです。

❷はじめに　「はじめに」は玄関です。「自分はなぜこの問題をとりあげるのか」といった理由や意義、それにこの作品のおおまかな内容を書きます。ただし、「はじめに」やタイトルをはじめに書く必要はありません（書けません）。最後にじっくり考えましょう。

❸目次　目次は案内図です。「縮小コピー」みたいなものです。ここも全体のページが出そろってから書き上げて、ページを入れます。

❹本論　調べた内容は、その大きなまとまりごとに「章」に（ときにはさらに細かく「節」に）分けて表示します。この本もそうですね。ひとつの章はいくつもの「ピース」から構成されています。書きはじめは、ふつう第1章の最初のピースです。最後には「終章」をつくり、自分の結論・主張をまとめます。

❺参考引用文献リスト　参考にしたり引用したりしたいろいろな文献（本や論文、新聞やウェブ資料など）を、ルールに沿って一覧にします（くわしくは59ページ）。

❻あとがき　取り組むことになったきっかけ、書き終えた感想、これからの課題、お世話

調べる学習・研究論文の基本的な型

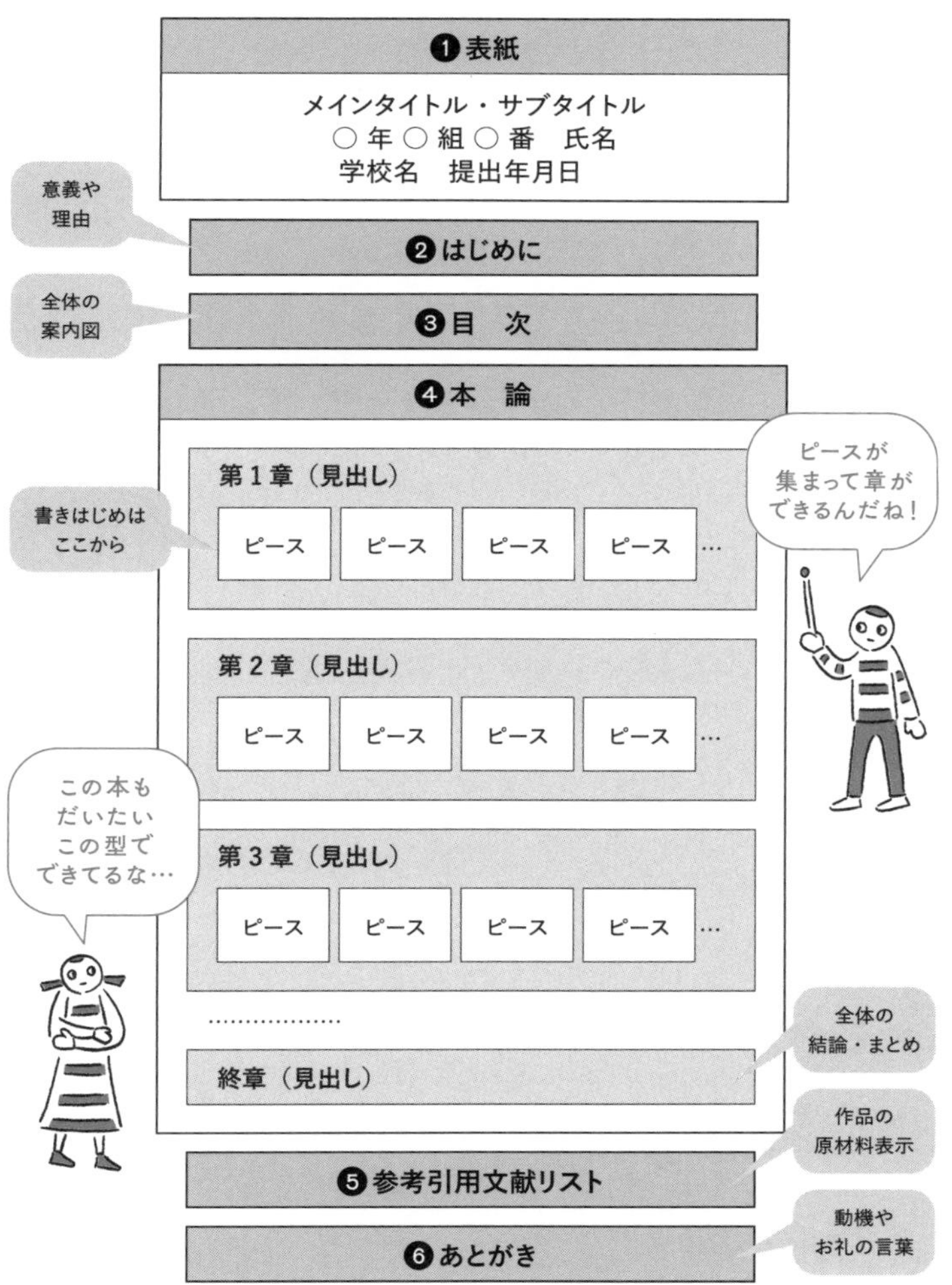

❶表紙
メインタイトル・サブタイトル
○年○組○番　氏名
学校名　提出年月日
意義や理由
❷はじめに
全体の案内図
❸目　次
❹本　論
第1章（見出し）
書きはじめはここから
ピース
ピース
ピース
ピース…
ピースが集まって章ができるんだね！
第2章（見出し）
ピース
ピース
ピース
ピース…
この本もだいたいこの型でできてるな…
第3章（見出し）
ピース
ピース
ピース
ピース…
全体の結論・まとめ
終章（見出し）
作品の原材料表示
❺参考引用文献リスト
動機やお礼の言葉
❻あとがき

になった人への感謝の言葉などを書きます。

見方を変えると、調べる学習の作品は、ピースが集まって章が生まれ、章が集まって全体ができあがります。つまり、調べる学習はピース作りそのものです。

◆「ピース」づくりがすべての基礎

さて、「ミニ調べる学習」では、引用にタイトルと出典（引用などに使われた資料名）を書いて、そこにアバターのコメントを加えてひとつのピースを作りました。ピースは作品の基礎（きそ）単位です。細胞（さいぼう）が増えて植物や動物が育つように、ピースが増えて調べる学習が育ちます。

とはいえ、はじめから完全なピースをつくるのは大変です。特にコメントは難しいかもしれません。そこで、はじめは引用をしたら、とりあえず引用元の本などの資料の番号とページ数だけを、簡単に書いておきます（この部分を**「文献表示」**といいました）。加えて、さいごの**「参考引用文献リスト」**に、文献表示に対応させて、番号順に書誌情報（資料を探すためのくわしい情報）を書き留めておきます。それを簡潔に書くと図のようにな

簡単なピースの作り方

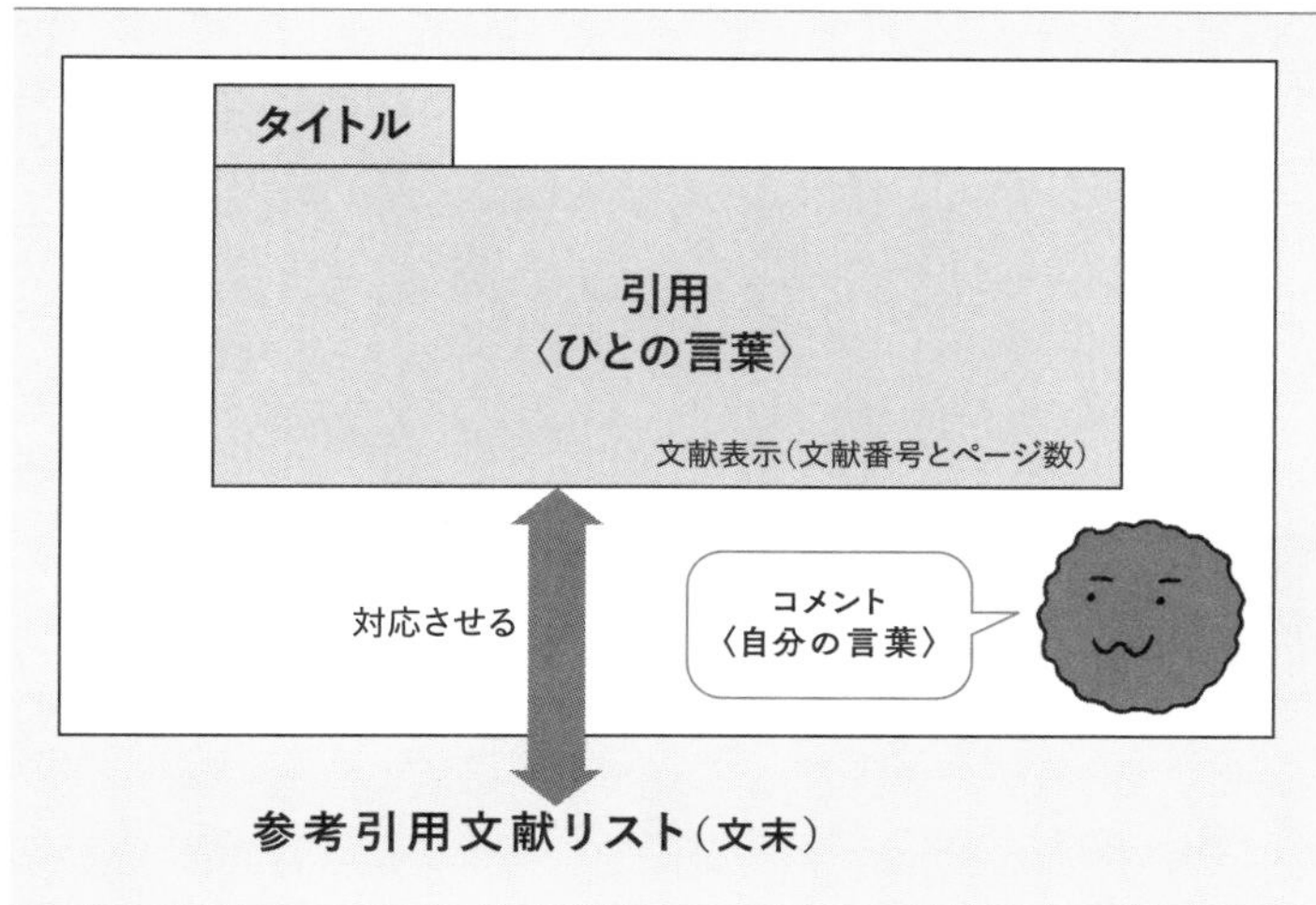

ります。

文献表示と、それと対応させた書誌情報を参考引用文献リストにいちいち書くのはたしかに面倒です。しかし、こうしたルールがあるから、読者は資料のでどころに正確にたどり着けますし、信頼して作品が読めるのです。第1章でも書きましたが、出典は資料があるその場で書くのが鉄則です。探究学習が進むと、あちこちの資料から引用をするようになるので、「一体どこから引用したのか」がすぐに分からなくなってしまいます。

◆ **正しいピースの作り方——4つの問いに答える**

ピースの作り方について、少しくわしく説明します。ピースは、ひとつの引用（ひとの言葉）に、次の４つの内容を加える作業です。

⑴「**どこから引用した?**」《**出典**》　文献表示に対応させて、参考引用文献リストに引用した本の書誌情報を書きます。その資料にちゃんとたどり着けるように書くのが基本です。

⑵「**引用からなにがいえる?**」《**コメント**》　引用からどのようなことがいえるか。コメントはもちろん「自分の言葉」です。感想ではなく客観的な意見を書きたいです。

⑶「**なぜ引用するの?**」《**まくら**》　その引用が必要になった理由を書きます。ここも「自分の言葉」ですが、すぐ書くのは難しいかもしれません。ピースがいくつも集まってくると、その前後関係から書けるようになります。

⑷「**つまり?**」《**タイトル**》　このピースはなにが書いてあるのかの見出しです。

ピースをつくる目的、それは引用からのコメントです。「ひとの言葉」である引用は、「自分の言葉」であるコメントを述べる材料です。コメントが積み重なるから、自分の主

引用から４つの問いに答えて ピースを作る

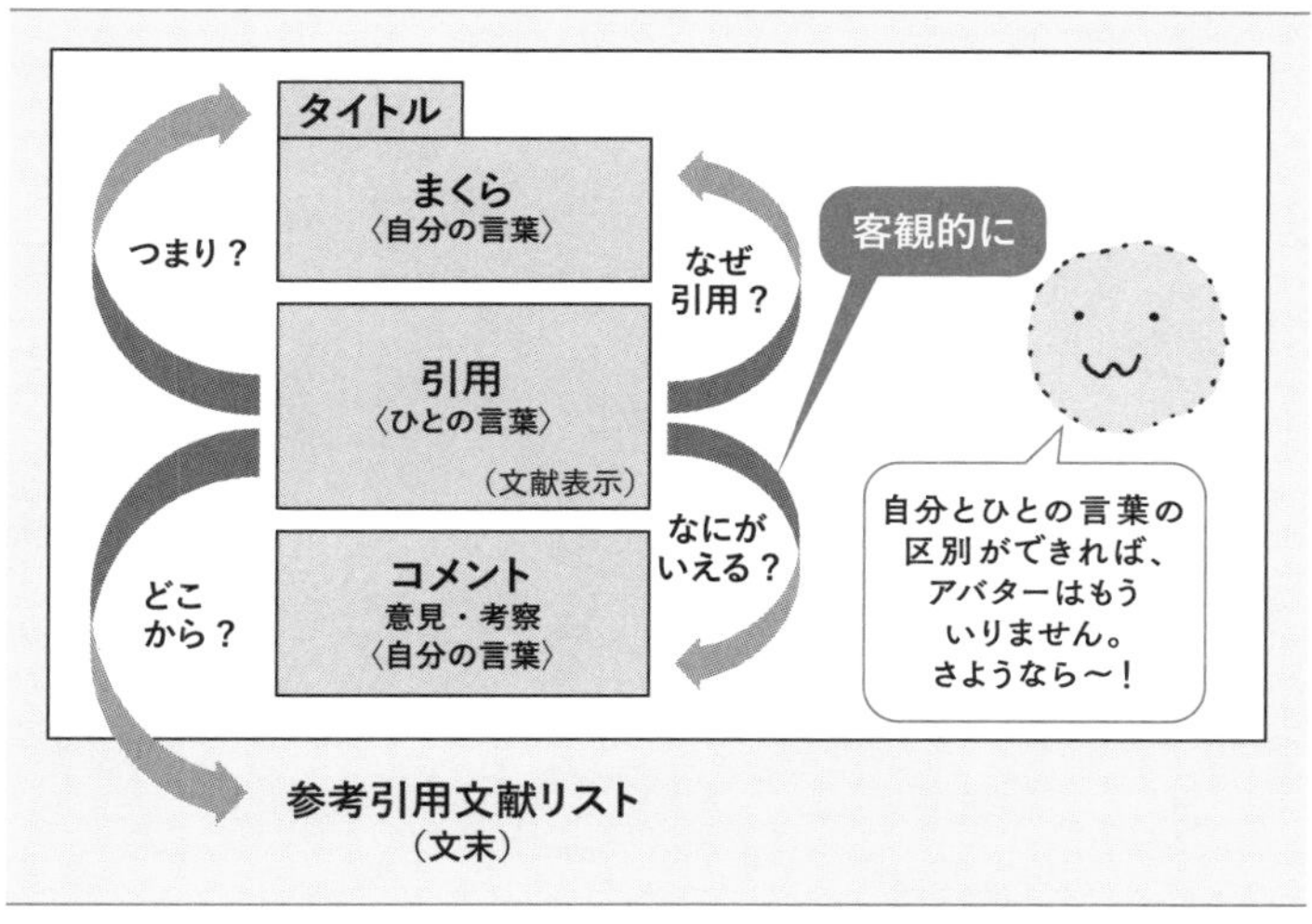

張に説得力が生まれるのです。反対に、引用をしてコメントがなければ、それは「調べただけ（写しただけ）学習」にすぎません。とはいえ、はじめこそ大変ですが、興味を持って学んでいれば、いずれは自分の言いたいコメントが湧き出てくるから不思議です。

研究ではこのように、「自分の言葉」と「ひとの言葉」の区別がとても大切です。それを区別するのがアバターでした。でも、「そんなの子どもっぽいからイヤだよ」という人は区別さえできれば、無理に使う必要はありません。57ページの例のように空白行を入れたり、「　」でくくったりして引用をすればよいのです。また、59ページに文献表示と参考引用文献リストの書き方の例を示しています。難しそうにみえますが、大切なのは「もとの文献のそのページにちゃんとたどりつけるかどうか」です。

◆研究の土台づくり——どこからピースを作るか

調べる学習の型（書式）と、そのもとになるピースの書き方をここまで解説してきました。では、一体どこからピースを作ったら良いのでしょうか。いろんな場所に付せん紙をつけた本が手元にありますか？「面白く大切に感じるところ」からピースは作ってかまいません。しかし、どんな題材を扱うにしても、基礎になる次のような知識は、ピースにしておきたいです。

(1) 定義・特徴（「○○とはなにか」に答える）
(2) 起源（「○○はどのようにしてはじまったのか」に答える）
(3) 歴史（「○○にはどのような道のりがあったのか」に答える）
(4) 分類（「○○にはどのような種類や区別があるのか」に答える）
(5) 現状（「○○はいまどうなっているのか」に答える）

ふたつのピースの例

見出し

まくら

カラオケを支える業界

カラオケは小学生でも行ける手軽なレジャーだ。一体どんな業界がカラオケを支えているのだろうか。

論文っぽく
なって
きましたね！

> カラオケ産業の基盤であるスナック、居酒屋のナイト市場、ボックスや喫茶のデイ市場、宴会場、健康ランド、ホテル、観光バスといった余興市場などの業務用マーケット、（中略）川上のコンテンツ（楽曲、歌詞）を担当するクリエーター、ソフトメーカーからカラオケ機器のメーカー、（中略）川下のカラオケ設備の工事・メンテナンスを行うディーラー・現場の飲食・アミューズメントサービス（中略）まさにごった煮の産業なのである。（①, p.12-15）

文献表示

空白行で
はさんで引用

つまり、こうしたさまざまな業界がさまざまな方向からカラオケを支えている。となれば、当然お金が動き、この筆者の試算によれば、カラオケ業界は約1兆円市場になるという。

コメント

カラオケで唄う人々

一方で、こうしたカラオケをどれくらいの人が利用しているのだろうか。一般社団法人全国カラオケ事業者協会の「カラオケ参加人口とカラオケボックスルーム数の推移」によれば、2019 年度のカラオケ参加人口は「約 4,650 万人と推測された」（②, オンライン）とある。全人口の4割弱が唄っている。

「　」で引用

文献表示

参考引用文献
リストの部分

①前川洋一郎（2009）『カラオケ進化論』廣済堂出版
②一般社団法人全国カラオケ事業者協会（2020）
「カラオケ業界の概要と市場規模」
https://www.karaoke.or.jp/05hakusyo/2020/p1.php(2021 年 6 月 1 日参照)

題材によっては、全部を調べるのは、難しいかもしれません。それでも(1)定義や特徴は、いくつかの資料から引用して比較(ひかく)したいです。国語辞典や『ポプラディア』はすでに使ったかもしれません。難しいのを承知で、『世界大百科事典』に挑戦(ちょうせん)するのはどうでしょう。定義の他に、(2)起源や(3)歴史や(4)分類などが一気に手に入るかもしれません。(5)現状については、なるべく新しい資料や統計を手に入れたいので、ここはインターネットを使うのも手です。

◆ピースのコメントが書けずに困ったら――感想の意見への変換

とはいえ、ピースで難しいのはやはりコメントです。なぜコメントが難しいのかといえば、客観的な意見を述べるには、「この引用は、自分の研究にとって一体どんな意味があるのだろう?」と考えなければならないからです。資料を気分よく読んで写しているだけでは、コメントは生まれません。ここではコメントが生まれるまでのプロセスをたどってみます。大事なのは「心の声」の、感想・意見への変換(へんかん)です。

文献表示と参考引用文献リストの書き方

ここでは資料の種類別に基本の書き方（網掛け部分）と具体例をあげました。上段が「文献表示」（引用や要約の最後につける）、下段がそれに対応する「参考引用文献リスト」です。

文献表示　参考引用文献リスト

◆一般の図書の場合◆
（文献番号, p.●）〈例〉（①, p.12-15）
文献番号 著者名（出版年）『書名：副書名』出版社
〈例〉 ①前川洋一郎（2009）『カラオケ進化論』廣済堂出版

◆事典・辞典類の場合◆
（文献番号, p.●）〈例〉（②,p.281）
文献番号 項目の執筆者名（出版年）「項目名」『事典名』出版社
〈例〉 ②金田一春彦監修（2019）「カラオケ」『新レインボー小学国語辞典』学研プラス　※項目執筆者名がない場合は監修者名など。

◆論文・雑誌記事の場合◆
（文献番号, p.●）〈例〉（③,p.51）
文献番号 執筆者名（発行年）「記事（論文）名」『雑誌名』（特集名）巻号
〈例〉 ③鍛治博之（2010）「カラオケの商品史（1）」『社会科学』第40巻第3号　※ネット上のPDF論文もこの書き方でよい。

◆新聞記事の場合◆
（文献番号, ●面）〈例〉（④, 5面）
文献番号『新聞名』（年月日 朝・夕刊）「記事タイトル」
〈例〉 ④『朝日新聞』（2018.11.4 朝刊, 名古屋本社版）「カラオケ 福祉を手助け」

◆ウェブ資料の場合◆
（文献番号, オンライン）〈例〉（⑤, オンライン）
文献番号 発信者（更新年月日）「記事タイトル」URL（参照年月日）
〈例〉 ⑤日本カラオケボックス協会連合会（2016）「青少年の非行防止に向けたカラオケボックス運営における自主規制基準」 http://www.jkba.or.jp/uploads/news/a9be98629beb5f4156a39df1e69d6550.pdf（2021年5月24日参照）.

通常の文献表示には著者（筆者）の名字・出版年・ページ数を入れます。ただし、この本では手書きでも書きやすい、文献番号①、②…で代替する書式を採用しています。

❶「感動詞」が生まれたら引用　「あっ」「へぇ〜」「うーん」など心が動き頭の中にいろいろな「感動詞」が生まれる文章との出会いがあります。そこから選んでとにかく引用です。

❷引用文をいったん「要約」する　引用文を読んで、この部分はどんなことを言っているのかを要約して書いてみます。「つまり」や、「要するに」と書き始めると書きやすいです。

❸感動詞を「感想」に翻訳する　要約の一方で、感動詞を今度は具体的な「感想」に翻訳してみます。「あっ」は「驚いた」、「へぇ〜」は「納得した」、「うーん」は「なんかへんだ」かもしれません。

❹接続詞を手がかりに客観的な意見に変換　感想がでたら今度は、「こうした感想がなぜ、どうして生まれたのかな？」「それで？」「となると？」などと考えます。ここで使えるのがいろいろな接続詞です。図にあるようなさまざまな接続詞に続けて、感想をその根拠とともに意見に近づけて書いてみて下さい。要は、コメントは心の声の感想・意見への変換作業です。そうした積み重ねの先に、借り物でない自分の言葉や考察が生まれます。

　感想は「感じたこと」なので、そのままでは議論になりにくいです。感想が「正しい」とか「間違っている」とは言いませんよね。一方で、コメント・意見は、「是非や善悪な

「あっ！」が
コメントになるまで

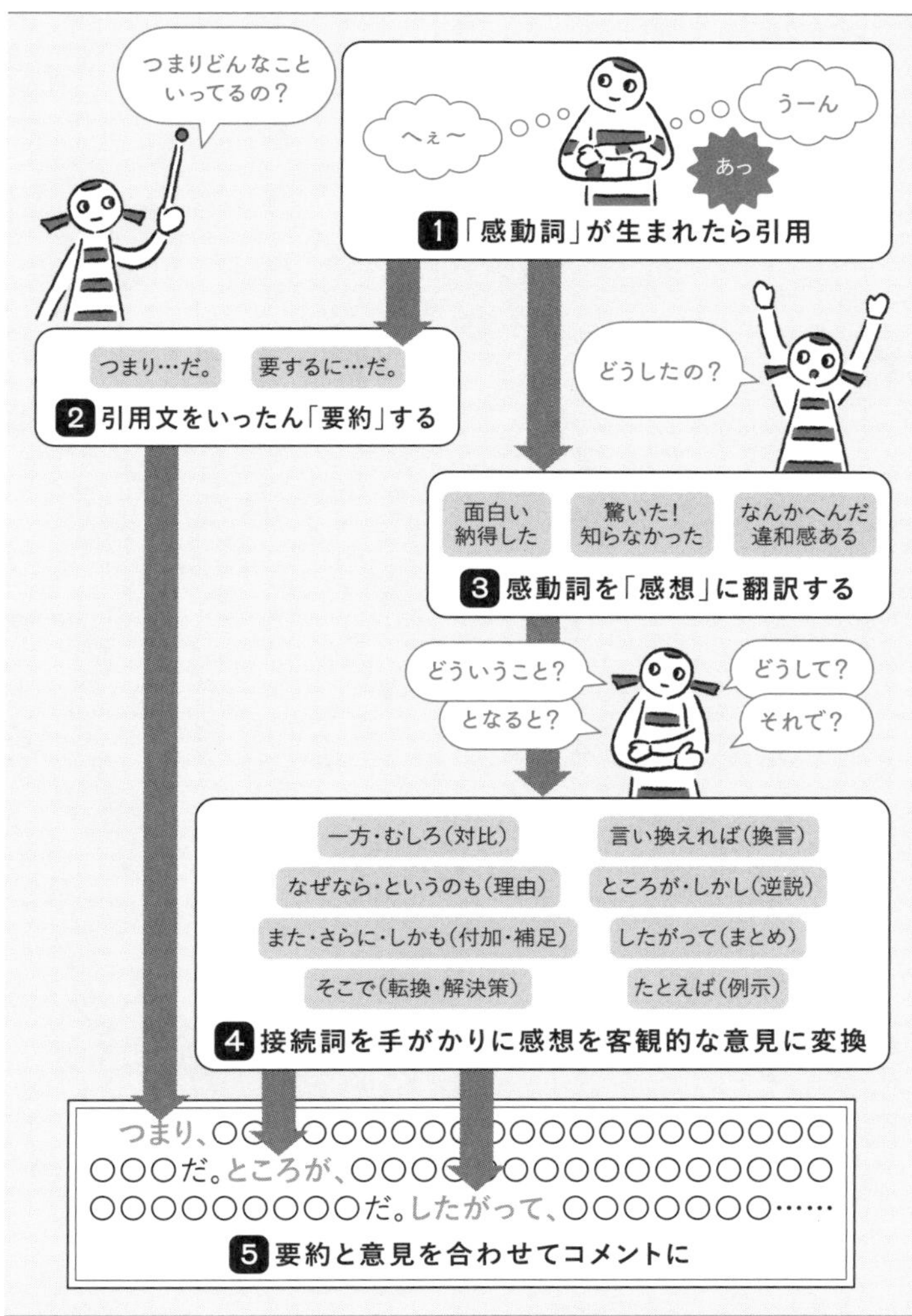

つまりどんなこと
いってるの？
へぇ〜
うーん
あっ
1「感動詞」が生まれたら引用
つまり…だ。
要するに…だ。
2 引用文をいったん「要約」する
どうしたの？
面白い
納得した
驚いた！
知らなかった
なんかへんだ
違和感ある
3 感動詞を「感想」に翻訳する
どういうこと？
となると？
どうして？
それで？
一方・むしろ（対比）
言い換えれば（換言）
なぜなら・というのも（理由）
ところが・しかし（逆説）
また・さらに・しかも（付加・補足）
したがって（まとめ）
そこで（転換・解決策）
たとえば（例示）
4 接続詞を手がかりに感想を客観的な意見に変換
つまり、○○○○○○○○○○○○○○○○○○○○○○○○○○○○○だ。ところが、○○○だ。したがって、○○○○○○○○……
5 要約と意見を合わせてコメントに

どの評価」なので、正しい・正しくない、賛成・反対の議論ができます。客観的なコメントの説得力あっての研究論文ですから、「これ感想だよね」と言われたらもうひと工夫です。

ところで、こうした心の声の意見への変換作業の結果は、いろいろな場面で聞けるはずです。たとえばテレビドラマを見た翌日、クラスの友だちが「アイツ（登場人物）ありえないよね。だってあの場面で……するのはどうしたっておかしいよ。なぜって……」とか、おしゃべりしてはいませんか。あるいは、YouTubeで「実はこの映画のあのシーンは、監督（かんとく）の好きな〇〇のパロディなんですね」と解説されたりしませんか。そうした機会では、友だちやYouTuberから「なるほど」と思わせる説得力のあるコメントが聞けますよね。みな、感動詞の意見への変換作業がされているはずです。このようにみなさんにも、本を読んで、引用して、説得力のあるコメントを書いてほしいのです。

◆感想をコメントに育てるコツ――「思った」「考えた」「わかった」を取ってみる

とはいえ感想は書けてもコメントにするのはなかなか大変です。そこでおすすめしたいのがいったん感想を書いて、そこから言葉を削（けず）っていく方法です。

はじめに削ってしまいたいのが、「思った」と「考えた」です。コメントは何時だって筆者（あなた）が「思ったこと」「考えたこと」を書くのですから、これらはいりません。ところが、実際にこうした言葉を削除して言い切ると、なんだか不安になってきます。不安になって言い切れないのなら、もう少し考えましょう。自分の意見に自信がないと「思っただけ」「考えただけ」という逃げ道を作っておきたくなるものなのですね。

次に「〜ことがわかった」を取ります。コメントはあなたが「わかって」納得して書くのが前提ですから、わざわざ書く必要はありません。ついでに「こと」も取って削るか別の言葉に置き換えてしまいましょう。この「こと」がクセになって、文のあちこちに出してしまうひとは意外に多くて、「コトコトちゃん」といいます。なんとなく文のリズムを整えるのに「こと」を入れてしまいがちですが、全部取ると歯磨きしたみたいにスッキリしますよ。

さらに、文の最後の「かもしれない」「だろうか」を削って下さい。どれも文をあいまいにする働きを持っています。思い切って取ると、きっと緊張するでしょう。「思った」「考えた」と同様、言い切るクセをつけておきたいです。

◆ピースのために氷山を大きく――知識が増えるからコメントが書ける

「そんなこと言っても、そもそも感想がでてこないんですよ」そんな悩みもあるかもしれません。そこでここではコメントを「氷山」にたとえて考えてみます。

氷は水よりも軽いので、全体の一割くらいが氷山として海面に顔を出しています。氷山が見えたなら、その下にはずっと大きな氷があるのです。「氷山の一角」ですね。ここでは水面下の氷を「知識」とします。知識が大きくなれば、氷山（コメント）が大きくなります。では、氷（知識）はどうしたら大きくなるでしょう。基本は読書です。時にはＴＶ番組やYouTubeも活用します。とにかく読んで、見て、聞いて、「へ〜」「ナルホド」と感じるほど、知識が大きくなります。こうした感動詞は知識（氷）が増えている証拠です。

ところが、さらに知識が増えると、「へ〜（関心）」や「ナルホド（納得）」の間に、違った言葉が出てきます。「その通り（肯定）」とか、「それ知ってる、やっぱね（確認）」「そんな言い方もあるか、いいね（発見）」などです。そんな情報への「評価」の言葉が出てくるようなら知識はかなり身に付いてきています。そしてあるとき、本を読む手が止まり、「あ、それ、こういうコトだよね（言い換え）」、「なんか違う・変じゃない？（疑問）」、「納得できない（批判）」といった言葉が出始めます。こうした解釈やツッコミ、引っかか

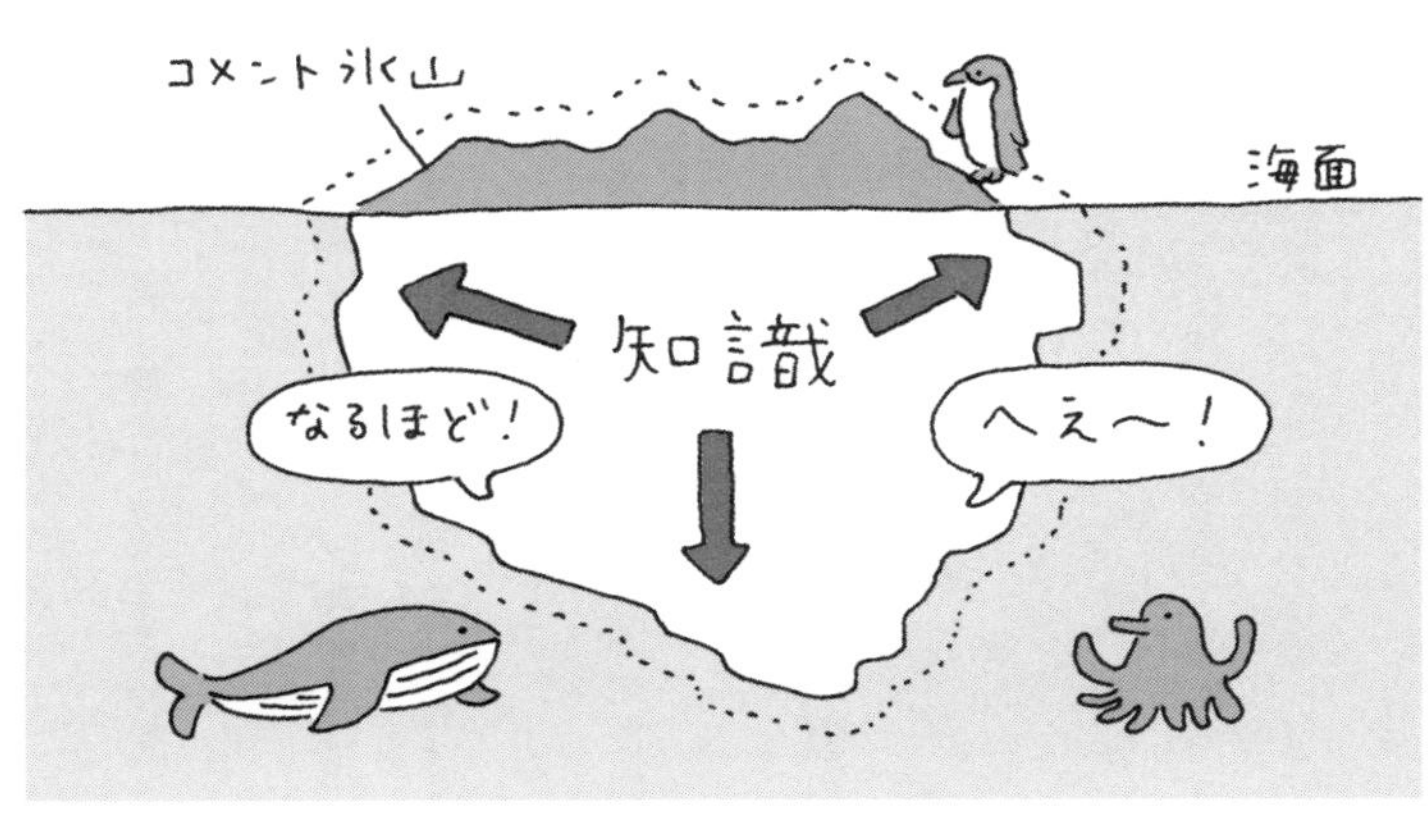

りからは、きっとよいコメントが生まれます。

要は、本からの呼びかけ（コール）と、それへの反応（レスポンス）が、知識を深めてコメントを生み出すのです。その証拠に、本にメモ書きした付せん紙が増えているかもしれませんし、自分の本なら書き込みが増えているでしょう（本への書き込みは悪いことではありません。書き込みのある本のほうが、ない本より価値が高いに決まっています）。

でも反対に、「コールもレスポンスもない読書」をしていたとしたらどうでしょう。知識も増えずコメントも生まれず、氷は小さいままです。アイドル（本）がコールしてくれているのに、観客（あなた）がレスポンスしていないのですから。なんともノリの悪いコンサート（読書）ですよね。

◆ピースが増えてグループができて「章」から「調べる学習」の作品へ

調べる学習が「育つ道のり」はさまざまです。多くの場合は、自分が「興味がある」「好きだ」という分野をあれこれ学んでいって、知識を増やして、題材が絞られるのです。再び「カラオケ」の探究学習に登場してもらいましょう。


⑴生徒はカラオケが好きでした。基礎的な資料を読んで、ピースをひとつ作りました。

⑵とにかく興味があるのですから、資料を読むと知らないことも多くて楽しく順調にピースが増えます。

⑶ピースが集まると似たピースをまとめてタイトルをつけることができるようになります。はじめはカラオケの定義や起源をまとめた「カラオケとはなにか」というひとまとまりができました。

1 はじめはひとつのピースから

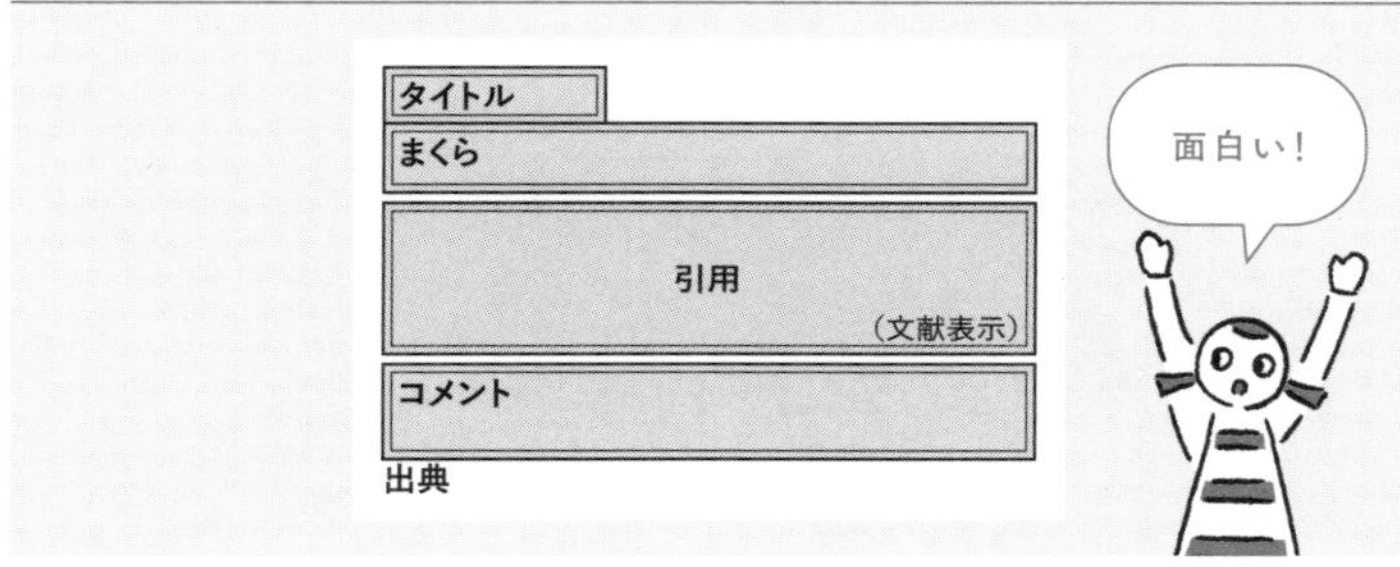

2 好きで面白いからピースが増える

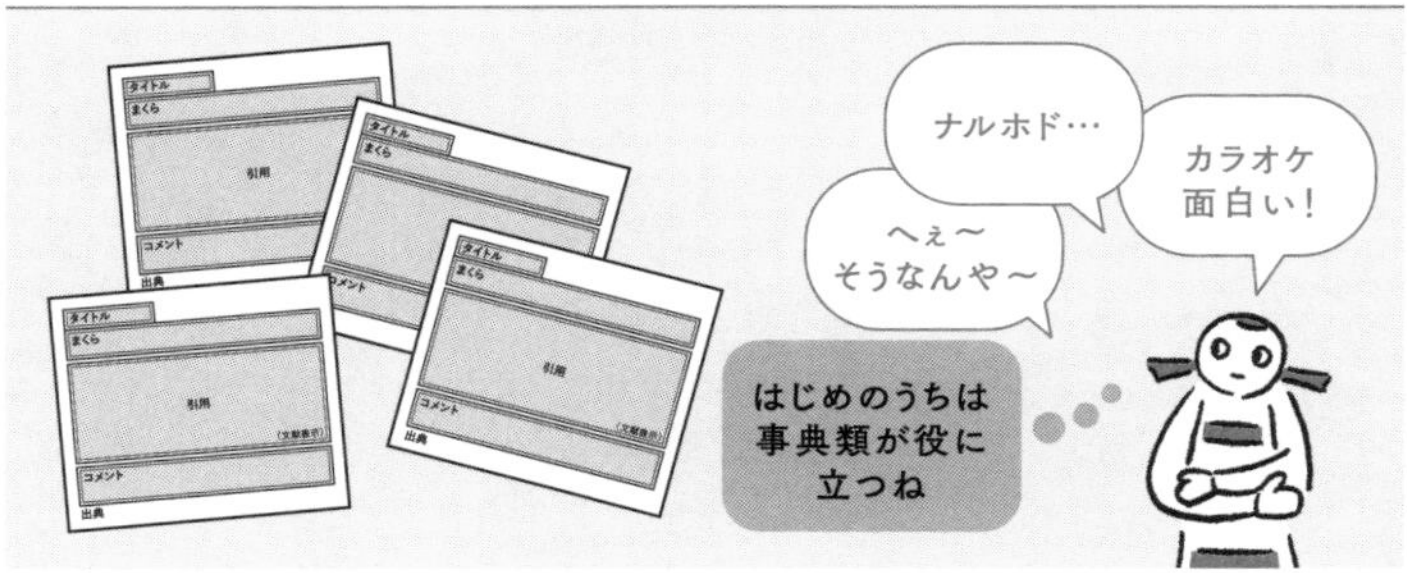

3 ピースが集まり「章」ができる

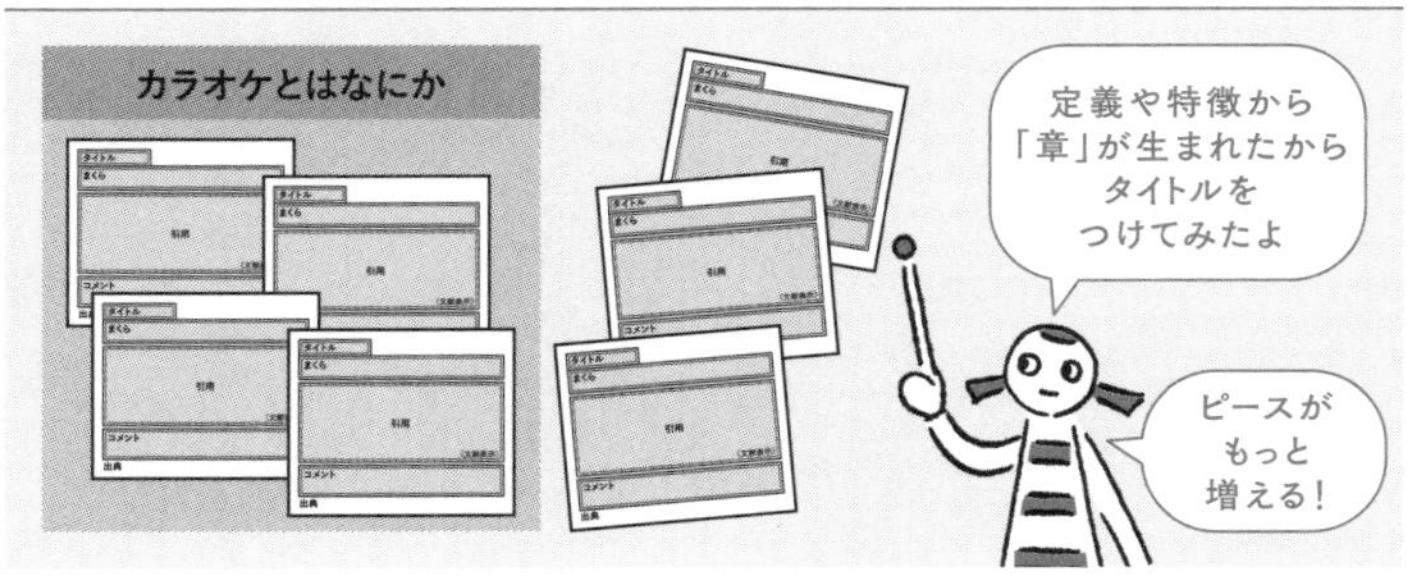

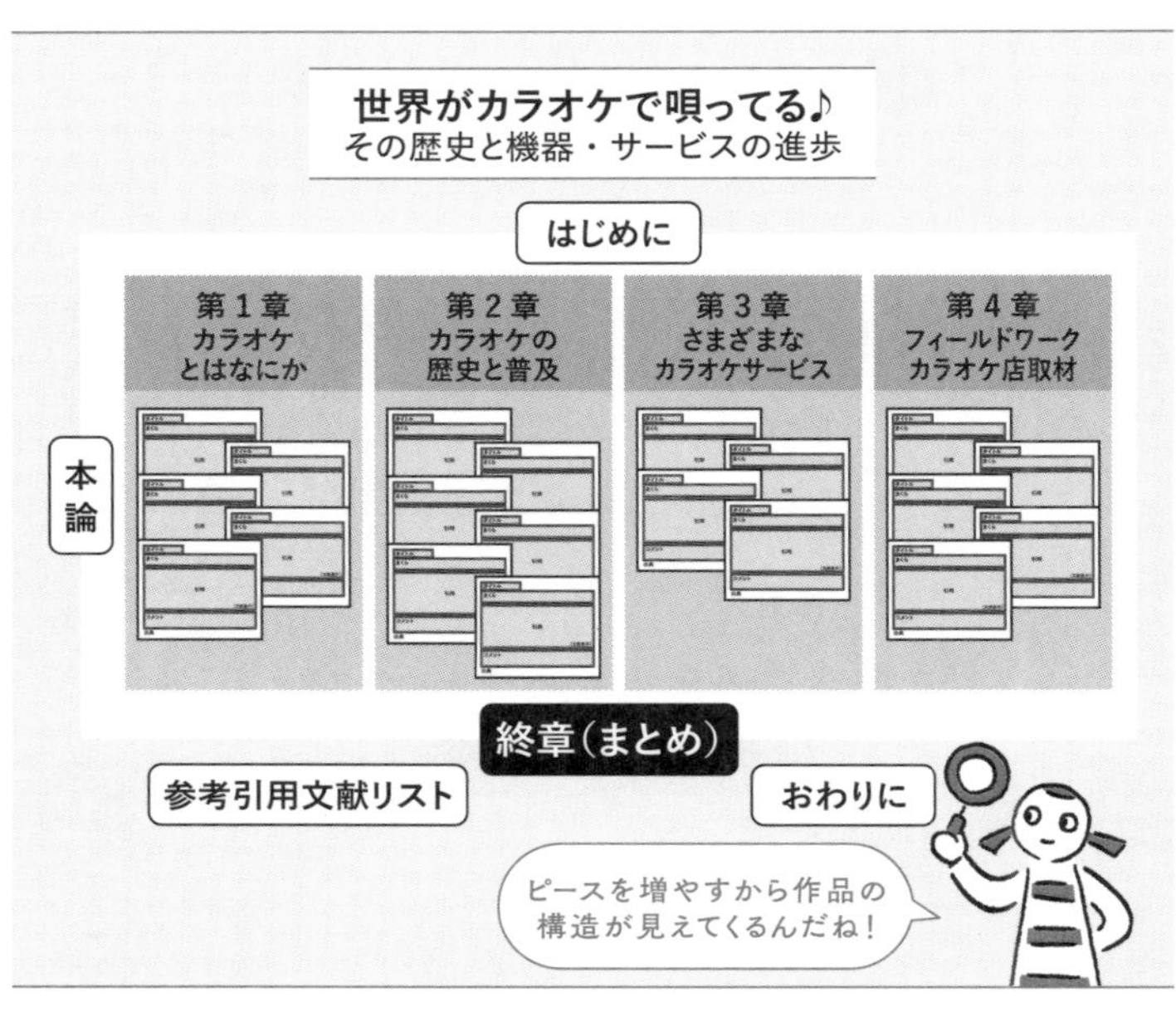

このようにして作品は分量を増やしていきます。カラオケを題材にした「調べる学習」は、図のように終章を入れて4章からなる作品としてまとまりそうです。こうしたルールや書式を守った作品なら、いわゆる「課題レポート」としても十分に通用します。課題レポートは「これだけのことを学びました」という報告です。「カラオケについてレポートせよ（論ぜよ）」なんていう課題が大学で仮にあったとしたら、きっとすばらしい評価をもらえます。

いってみれば、こうした探究学習の作品作りは一本の木を育てるようなものです。根を通じて集まった栄養（情報）は葉（ピース）を育てます。ピースのまとまりは枝

（章）になり、枝があつまって幹（マイテーマ）になるのです。

◆ピースのための図書館・インターネット活用

ここからは目を転じて情報集めの方法について、紹介しておきましょう。

まずは図書館です。興味のある分野の本を手に取って、やみくもに読んでみます。第2章で紹介したように題材がある程度絞れなければ、探究学習は進みません。方向が決まったら、基礎知識をかためる本を3冊借りてみます。検索（けんさく）すると結構な数の本がでてくるかもしれませんが、その分野の入門的な本を選んで読むのです。場合によっては小学生向けの本（児童書）が役に立ったりします。全部を読む必要はありません。目次をみて、面白そうなところを読んでいきます。その分野の重要な言葉は、たぶん繰（く）り返しでてきますから、知らずに身に付いてしまうでしょう。

同時にインターネットも活用したいです。後に述べるようにWikipediaは引用できませんが、ある分野を見渡（みわた）したり、専門的な言葉を理解したり、ちょっとした内容を確認するのに便利です。また、最近はさまざまな動画もネット上にありますから、検索してみると意外によくまとまった知識を得られるかもしれません。このように引用こそ慎重（しんちょう）さが必要ですが、手っ取り早く知識を増やすのに、インターネットは役立ちます。

手に入れた本を面白く読み続けられるなら安心です。反対に面白くなく、よくわからないなら、再度別の本を探します。とはいえ、もしそれ以上本を探す気にもならないのなら、その題材に見切りをつけてもかまいません。「その気がない」のは自分が一番わかります。「その題材、縁がなかったね」と理解できただけで前進ですから、潔く方針転換です。

そんな、あれこれを乗り越えて、探究学習が進むと、手元には結構な数の本が集まってきます。それでも、題材が絞られるほど「こんな資料が欲しい」と強く思うようになります。そうした場合、今度は資料を狙い撃ちして集めなければならなくなります。ここで素晴らしい力を発揮してくれるのが図書館の司書さんです。

◆図書館でレファレンスをしてもらおう

図書館は使っても、司書さんが「相談にのって資料を探してくれる」レファレンス・サービス（参考業務）を、活用できる人は多くありません。検索をすれば図書館の本は自分で探せる、ふつうはそう考えがちです。しかし、図書館には時に何十万冊という本や雑誌があり、ふつうは入れない本の部屋（閉架書庫）もありますから、図書館の中からもれな

図書館入門――本の分類
「日本十進分類法（NDC）」を知る

図書館は整理をされ本が正しく並んでいるから、役に立つのです。図書館と同じ本があるけれど、整理されていない部屋があると想像しましょう。そんなところでだれが本を探すでしょうか。

図書館の本の背表紙には「請求記号（分類番号）」があります。この番号で本の内容がわかり、同時に図書館での本のありか（住所）もわかるのですから便利です。この番号は「日本十進分類法（NDC）」というルールでつけられています。たとえば、パンダの本に４８９という番号がつけられていたとします。はじめの4は自然科学、その中でも48は動物学、さらにその中の489が、パンダを含んだほ乳類の本です。

本は分類番号の順に本棚に並んでいます。棚の前に立ってみると、このルールで本棚の左上から右下に向かって本が行儀よく並んでいます。こうしたルールを少し覚えておくだけで、日本中の図書館で読みたい分野の本棚の前に立てるのです。

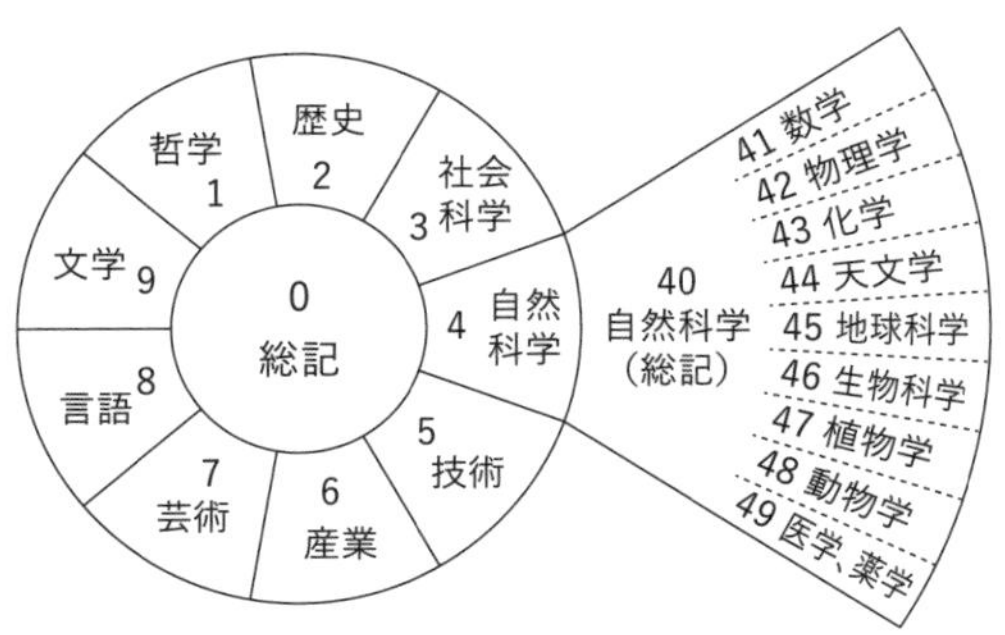

４　⇒自然科学の本
４８　⇒動物学の本
４８９　⇒ほ乳類の本

日本十進分類法（NDC）のしくみ

く情報を探すのはけっこう難しいのです。そこで司書さんの登場です。遠慮せず勇気を出して、レファレンス・カウンター（調べもののコーナー）の前に立って、「〇〇について知りたいのですが……」と言ってください。資料探しをしている人を司書さんは心待ちにしています。情報のプロですから、その図書館はもちろん市内、県内、ときには日本中の本を探してくれますし、インターネット検索だってしてくれるのです。

◆インターネット情報はメンドーで、アヤシイ！

「「アヤシイからネットは信用するな」とか先生は言うけれど、いちいち書いたりキーボード打ったりめんどいし、ネットからコピーで早く終わらせよ……」。そう思う人もいるかもしれませんね。確かにインターネットも情報には変わりありません。では、簡単なはずのインターネットがなぜ「メンドー」なのでしょうか。

(1) 情報の信頼確認が、めんどくさい　よく言われるように、ネットから信用できる情報を選ぶのは難しいです。簡単に言ってしまうと、検索窓に単語を入力してすぐに出てくる情報で引用できる内容はまずありません。信用できる情報は手間をかけないと出てこないのです。大学生が「(出典) Ｇｏｏｇｌｅ」「(参考文献) ＮＡＶＥＲまとめ」なんて書いているのを以前見かけましたが、それは論外。次のインターネット情報は原則引用をしてはいけません。

個人のサイト／匿名（とくめい）のサイト／まとめサイト／YouTube等の動画／ＳＮＳ情報／Wikipedia／大学生が発表した論文

とは言えWikipediaや大学生の論文などが参考文献探しに役立つ時もよくあるので、こうした情報は参考程度に見るようにします。

比較的信頼できる情報探しは「いきなり検索ボックス」ではなく、次のようなひとひねりが必要です。たとえば、「ＰＤＦ」を加えて印刷を前提としたＰＤＦ形式の文書ファイルだけを検索する、国や大学が出している情報をドメイン名を加えて検索する、論文専門のサイトから検索する、などです。

ＰＤＦ検索／go.jpやac.jpといったドメイン検索／論文を探せるサイト　CiNii（サ

イニィ）・Google Scholar（グーグル・スカラー）等での検索

ともあれインターネットから引用しようというときは、先生や司書の方に確認してもらったほうが安全です。あとから「そのサイトはダメ」と言われないように。

②出典を書くのが、めんどくさい　ネット記事を引用したら、出典は次のように書きます。

Webページを制作した人・団体名（更新年月日）「記事のタイトル」URL（参照年月日）

（例）日本カラオケボックス協会連合会（2016）「青少年の非行防止に向けたカラオケボックス運営における自主規制基準」http://www.jkba.or.jp/uploads/news/a9be98629beb5f4156a39df1e69d6550.pdf（2021年5月24日 参照）

本のときよりかなり面倒ですね。まず、そのページを制作した人、つまり情報発信者がわからない情報は使えません。また、更新年（月日）がわからない記事も多いです。さらに記事タイトル・URLと続いて、最後には「その情報を見た日付（参照年月日）」を書きます。インターネットは翌日に内容が変わっている場合もあるからです。ちなみに雑誌に掲載(けいさい)された論文のＰＤＦ版などは、紙の論文と基本同じですから安心です。

(3)再現性が、あやしい　インターネット資料の一番の問題がこの「再現性」です。つまり、「引用した資料をもう一度見ようとしたら、情報が消えていました」というケースがとても多いのです。たとえば、「行政機関のＷｅｂページの論文への引用」を調査すると、5年経って同じ情報が同じＵＲＬ上に存在したのは全体のわずか4割でした。当然ですが、あるかないかあてにならない情報を、作品や論文にのせるのは基本アウトです。

※国立国会図書館（2016/1/20）「インターネット資料収集保存事業」https://warp.da.ndl.go.jp/contents/reccommend/collection/linkrot.html (2021年6月23日 参照)

情報の信頼度、出典の記述、再現性、どれをとってもインターネットは厄介(やっかい)です。簡単に言えば、探究学習の初心者は、本からの引用が確実です。なにしろ、その情報は編集者など何人ものチェックを受けていて、出典を書くのが楽で、実物が消えることがまずないのですから。ただし、ここに取り上げたインターネットのさまざまな難しさを理解しているのなら、Ｗｅｂほど強力な道具はない、ということも間違いありません。

第4章 フィールドワーク・プロジェクトでリアルに学ぶ

図書館やインターネットでの調査は、探究学習に不可欠です。しかし、そこから出ない、頭でっかちの学びは本物とはいえません。なにを題材にしたとしても、人やモノから直接に、リアルに学んでほしいと思います。どなたかへの取材でもいいでしょう、実験や調理・栽培・調査・工作なども楽しいです。要は「現場」で学ぶのです。というのも、現場での学びこそが、作品の独創性の源だからです。そしてなにより、あなたの学びの道のりを充実させ、一番の思い出をもたらすからです。

この章では、どなたかに取材したり、現地に立ったりする学びの機会を〝フィールドワーク〟、自宅を中心に体験を通じて学ぶ機会を〝プロジェクト〟と呼んで区別しています。

◆フィールドワークにでかけよう

フィールドワーク（取材）の段取りの前に、大切なことをふたつ。まず、取材先は自分で見つけて自分で連絡をとって下さい。だれかにお膳立て（事前準備）してもらっては本気のフィールドワークにならないからです。次に、取材相手への連絡は、余裕を持ってできれば取材予定日のひと月前にはしておきます。以下にフィールドワークの手順を紹介します。どこが取材先であっても、この段取りは変わりません。

❶計画書をつくる　取材先はさまざまです。大学の研究者、企業、業界団体、政治家、こども園や教育委員会や専門学校といった教育機関、医療・福祉施設、本の著者……。どこに行きたいのか、だれに会いたいのか、アイデアを出したら計画書を作って、先生と保護者に確認してもらいます。取材を申し込んでも、断られる場合もあるので、プランをふたつ考えておくと確実です。

❷下調べ　取材先について、できる限りの下調べをします。小学生の社会科見学ではない

ので、調べれば書いてあるような常識的な内容を質問するのは失礼です（「そんなん本読んできてね」と思われます）。反対に質問がしっかりしていればいるほどあなたは信頼されます。自分がインタビューされる側になったと想像すればわかりますね。

❸取材の申し込み　封書で取材の申し込みをします。どうしても時間が限られているときはメールも考えられます。一方で、電話は相手の時間を急に奪うので避けます。

なにより大切なのは手紙の中身です。形式的な部分はテンプレート通りでかまいません。①なぜこの研究に取り組み、取材をお願いするのかその理由、②質問項目（後から変わってもよい）、③これまでなにを学んできたのかの3点は、しっかり書き込みます。

　返事が来るか来ないか、取材を受け入れてくれるかくれないかは、予想できません。しかし、確率を高める手段はあります。手紙の「本気度」を上げればよいのです。先方（取材先の方）は手紙を読みながら、どれほどあなたが本気なのかを見ています。手紙の内容であなた自身の問題意識や知識が推し量られるのですから、「ここまで学びたがっている、この生徒を放ってはおけない」と思っていただければいいのです。

　一方で、取材は「子ども電話相談室」ではありません。みなさんは研究者なのです。相手もまた何かに取り組む研究者と考えてください。研究者は「質問面白いですね。では、

フィールドワークの段取り

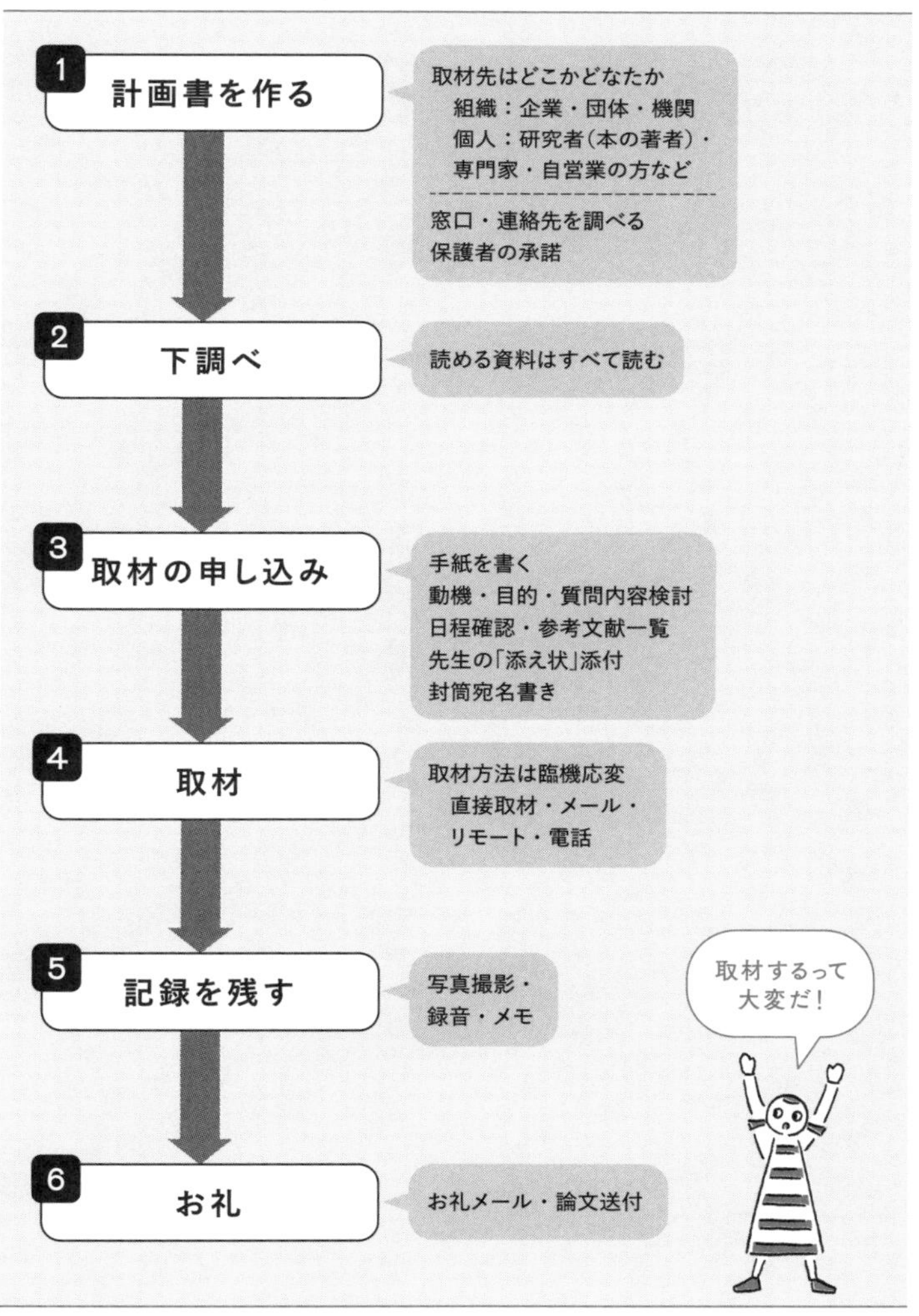

1 計画書を作る
取材先はどこかどなたか
組織：企業・団体・機関
個人：研究者(本の著者)・専門家・自営業の方など
窓口・連絡先を調べる
保護者の承諾
2 下調べ
読める資料はすべて読む
3 取材の申し込み
手紙を書く
動機・目的・質問内容検討
日程確認・参考文献一覧
先生の「添え状」添付
封筒宛名書き
4 取材
取材方法は臨機応変
直接取材・メール・リモート・電話
5 記録を残す
写真撮影・録音・メモ
6 お礼
お礼メール・論文送付
取材するって大変だ!

あなたはその疑問についてこれまでどう考えてきましたか？」と考えますから、手紙の質問には、自分がその問題についてなにを考えてきたかも書いておくべきなのです。そうすればこそ、先方はあなたをともに探究する仲間として遇して（親しく相手して）くれるのです。また、質問がはたして回答可能なのかどうかにも注意して下さい。大学の先生からは、「その質問は専門が異なるので正確には答えられない」と返答される場合があるからです。

取材申し込みには先生からの挨拶の手紙（添え状）を同封します。また封書の宛名（表書き）などにも決まりがあります。ここではくわしく述べませんので調べてみてください。

❹取材　現地まで出かけてのインタビューが基本です。相手は自分の仕事の時間を割いて相手をして下さるのですから、失礼のない態度が求められます。最近ではリモート取材の例も増えてきました。このほうが先方の負担にならず、遠距離にいる方からも取材ができます。訪問かリモートか、メールか電話か、取材方法はそのときの判断です。

❺記録を残す　録音・撮影・メモのすべてで記録して下さい。もちろん撮影も録音も前もって必ず断ってから始めます。スマホの活躍の場面ですから、ふだんから使い慣れておきたいです。また、当日にはなるべく名刺を頂いてください。その方の所属や肩書や連絡先

フィールドワーク
計画書の例

題材・テーマ
安全で安心なカラオケサービスのための工夫

フィールドワーク（第1案）

取材先の名称（大学・企業等）・肩書（学部・部署）・氏名
株式会社カラオケチェーン○○　代表取締役社長　○○○○様 ※なるべく具体的に記入。お客様窓口があればそこでも。 代表者と担当者の連名で出す場合も。

どこにどうやって取材に行くのか（住所・最寄り駅などアクセス方法）	
住　　　所	〒○○○−○○○○ 東京都○○区○○　○○−○○−○○
電 話 番 号	03-○○○○-○○○○　メールアドレス****@****
交通手段・経路	○○線○○駅下車　徒歩2分

なぜこの取材先を選んだのか（理由と質問項目）
カラオケチェーンでは大手であり、上場企業なのでその実態がよくわかるため。また、バリアフリーカラオケなど多くの人が安心して利用できるサービスに取り組んでいるため。 ・カラオケでのトラブルの状況とその防止策をお聞きしたいです。 ・低年齢の利用者にはどのような配慮がされているのですか。 ・御社の特色にバリアフリーカラオケがありますが、そうした発想をされたのにはどのようなきっかけがあったのですか。 ・他社と異なるサービスや特色がありましたらお教えください。

※ 第2案以降は省略

プロジェクトの
場合は場所や
機材・方法や予算に
ついても計画しよう

が書いてあるからです。肩書や氏名を、報告書に正確に書くのは当然の礼儀です。

❻お礼 取材直後にお礼のメールをします。また、完成した作品に礼状を添えて贈呈します。PDFファイルでもかまいません（最近「とてもお世話になったので直接持参します」という生徒もいました）。いずれにせよ、例外なく喜んでいただけます。

安全なフィールドワークのために、次の4点を守りましょう。まず、**保護者への「ホウレンソウ」**です。ホウレンソウは、「報告・連絡・相談」の略です。取材場所や日程・取材内容はもちろん、当日は帰宅時間も決め、携帯電話を持参し、いつでも連絡がとれるようにします。次に、**単独取材を避け複数で行動**します。トラブル予防でもあり、インタビューで間が持つ利点も。心配なら保護者の方に送って頂くのも選択肢のひとつとしてください。さらに、**取材先の選定は慎重に判断**します。ホームページがあるからといってすぐにコンタクトしてはいけません。取材先は必ず先生と相談して決めて下さい。これらに加えて、**家族や知人の紹介（縁故）の取材は避けます**。保護者の信頼に頼っては、自力で扉を開けたことにならないからです。

フィールドワークは学校の授業のように計画通りには進みません。せっかく手紙を書い

取材申し込みの手紙例

名前と肩書は正確に。

株式会社○○（○○大学　○○学部）

代表取締役社長　○○○○様（○○担当者様、○○○○先生）

【一行空け】

拝啓　朝顔が咲き、暑さが日ごとに増してまいりましたが、いかがお過ごしでしょうか。

はじめまして。私は○○○○（よみがな）と申します。○○の○○市にある○○学校の○年生です。取材のお願いをさせていただきたいと思いお便りをさしあげます。

簡単な自己紹介と取材のお願い

私が通う○○学校には「総合的な探究の時間」という授業があります。自分の興味でテーマを設定し、１年をかけてまとめるという授業です。そこで、以前から興味を持っていたカラオケについて私は学ぶことにしました。「安全・安心なカラオケサービスのための工夫」がテーマです。

なぜ私がこうしたテーマを考えたのかというと……（以下、探究学習企画書の動機・意義を組み合わせてなるべく詳しく書きます）

どんな授業で、何に興味を持ち、どんなテーマで学んでいるのか、なぜ取材をしたいのか。

今回、本ではわからないことも学びたいと思い、御社の支店に取材に行かせていただこうと考えています。もしお話をうかがえるのであれば、次のことについて教えていただきたいと思っています。

【一行空け】

・来店する小中学生や未成年の人たちへの配慮についてお聞かせください。

・だれでも楽しめる安全な娯楽としてのカラオケをめざしていらっしゃいますが、この会社のカラオケの特色のひとつのバリアフリーカラオケにも興味があります。このサービスがなぜ生まれたのか、またその利用者と具体的なサービスについてお教えください。

……

質問は箇条書きで。自分の予想や意見などを含めるとよいです。

【一行空け】

○月○日～○日の週でクラスメイトと二人で取材させて頂けたらと考えています。

ご迷惑でなければ、ご都合の良い日時をお返事頂ければ幸いです。

お忙しいところ申し訳ありません。よろしくお願いいたします。

敬具

訪問可能な日程をなるべく余裕を持って示す。4日以上は欲しい。「飛び石」でも構いません。

【一行空け】

○○年○月○日

○○立○○学校 ○年○組○番

氏　名

サインは手書き。

連絡先はメールアドレスが必須。投函したら毎日受信確認を。

連絡先

（学校用メールアドレス・自宅の電話番号・自宅住所等…）

******@stu.******.ed.jp

全体でＡ４で２枚にするとよいです。最低でも「敬具」前の本文が2ページ目に届くように書きます。

ご参考までにこれまで私が学んできた本を紹介します。

鳥賀陽弘道（2008）『カラオケ秘史――創意工夫の世界革命』新潮新書

ジョウ・シュン＋フランチェスカ・タロッコ（2008）『カラオケ化する世界』青土社

野口恒（2005）『カラオケ文化産業論――21世紀の「生きがい社会」をつくる』PHP研究所

……

「これまで私が学んできた本」の一覧は、信用を高め、熱意を示します。

真剣な手紙は必ず相手の心を動かします！

て出したのに、返信すらしてくれない大手企業もあります（その場合は「返事がなかった」と報告書に書きましょう）。返事が2週間なければ、催促のメールをしても失礼にはなりません。手紙があちこち回って返事が遅れることもあるのです。それでも返信がなければあきらめましょう。

◆さまざまなフィールドワークとそのトラブル

ここでは取材に行った最近の事例から紹介しましょう。

大阪維新の会の市議会議員の方と、日本共産党の衆議院議員の方にカジノについて取材／京都府の鵜匠の方にお話を聞き、鵜たちにエサをやるところや掃除、トレーニングの様子を見学／0歳児のお子さんをお持ちの2組のお母さんに取材／洋菓子協会で3人のパティシエの方に商品開発について取材／盲導犬訓練所に取材／「ギャル」の調査のため大阪府立中央図書館で雑誌「ポップティーン」を調査／里山保全活動に参加／刑務所に行って刑務官と福祉専門官に取材……。

フィールドワーク・トラブルコレクション
——ぜんぶホントにあった話

◆アドレスの打ち間違い◆先方からのメールが届かず、似たアドレスの生徒に届いてしまいました。アドレスは印刷前に何度も確認を。

◆メールを開かなかった◆生徒から電話がありました。「メールを見るのを忘れていて、1週間前の取材許可に気づかなかった（涙）」。ふだん使わないアドレスでのトラブルが多いです。手紙を出したら毎日チェックを。

◆恥ずかしいメールの署名とアイコン◆大学の先生とメール交換をはじめましたが、メールの署名に💀を並べていたのを忘れて、あわてて相談にきました。アイコンに使ったアイドルやアニメ画像もとても恥ずかしいです。

◆取材日程を間違えた・遅刻した◆取材の時間と場所は何よりも重要です。慎重に確認しても間違えてしまうことがあるのです。また事故で電車が遅れる場合も。こうしたときは、直接先方に連絡を入れても失礼ではありません。

◆3時間早く着きすぎた◆緊張して3時間前に到着。しかたないので周囲を歩き、建物の写真を撮って過ごしました。早く着いてもあまり早く訪問してはいけません。時間通りか数分早目がふつうです。

◆本を読まずに叱られた◆有名な研究者に連絡したところ「取材や面談を申し込むのであれば著作などを読んだ上で申し込むものであり「あなたの本は一冊も読んでいないけれども取材をしたい」というのは、礼を失する」と叱られた。お詫びと再度のお願いをしたが結局取材はできなかった。

◆封筒の宛名で叱られた◆表書きに修正テープを使って「失礼」と突き返された。お詫びの手紙とお願いをして、無事取材させていただいた。

フィールドワークは正式な取材なので、中学生でも大人として対応してくれます。実際に複数の方がその生徒のために資料を作って、対応してくれた場合もありました。とはいえ、実社会に出ていくのですから、社会で起こりそうなことはなんでも起きます。前ページのコラムは実際に起きたさまざまなトラブルです。原因は生徒の側にある場合がほとんどです。

◆フィールドワークで探究学習は進む

いろいろなトラブルがあるとはいっても、フィールドワークが探究学習に及ぼす力は馬鹿になりません。カラオケの生徒はどうなったでしょうか。カラオケの歴史を学ぶ中でカラオケ機器や安全・安心なサービスにこの生徒は興味を持ち、大手カラオケチェーンに取材を申し込みました。研究の動機や質問をまとめて東京の本社に送ったところ、希望する大阪の店舗への取材許可がでました。インタビューにこたえてくれた支配人の方はなにより食品衛生の大切さを強調しました（調理師さんでもあったようです）。また、一人で唄うヒトカラ、高齢者向けのイベント、ランチ利用の人、楽器演奏に使う人……。さまざまなニーズに合わせたサービスも紹介して下さいました。バリアフリーカラオケ（点字の歌本もありました）や、キッズルームもあり、だれでもが安全で快適に楽しめる工夫がされています。

ふりかえって、生徒の行くどこのカラオケにも、ガラスの入った扉があり、監視カメラがあります。だからカラオケは小学生の子どもだけでも楽しめる娯楽なのです。ところが、新聞のデータベースで「カラオケ」を検索すると、暴力事件など昔の記事がたくさん出てきました。年配の人に話を聞いても、カラオケはお酒やタバコといつもセットで、あまりよい印象の場所ではないようでした。では、カラオケはどうして今のように安全な娯楽になったのでしょう。こうして、フィールドワークは次の章の内容である「研究論文のテーマ（問い）の設定」のための重要なヒントを呼び寄せました。

◆フィールドワークを経験した先輩からのメッセージ

フィールドワークは探究学習の中で一番の思い出になります。先輩の記録・後輩へのアドバイスは、その時の緊張やよろこびをよく伝えていますから、いくつか紹介しましょう。

（　）内は探究学習の題材です。

「大学の先生に取材に行きました。模擬授業をしていただき、そのあと生薬が保管されているところも見せていただいた。しかし、勉強不足で、取材が終わり研究を続けていると疑問がどんどん出てきました」（漢方薬）

「初めて行くところだったので、前もって地図で調べたけれど迷いました。会社に着いたときはすごく緊張していてドキドキしました。第一印象は怖そうな方でしたが、とても優しくて面白かったです。どんなことでもいいから自分が知りたいことや興味があることを積極的に聞くことが大切だと思います。あと絶対に遅れないこと！」（ライブステージづくり）

「バス会社へ取材に行きました。お相手は若い女性の方でした。大人と話す機会はあまりないので緊張しましたが、自分なりにうまく話せたと思います。インターホンを鳴らして社内へ入っていくときはとても緊張しますよ」（高速バス）

「はじめはとても緊張しており、色々なことを考えていたが、話していくうちに緊張が和らいでいった。前もってある程度の質問を考えておくと質疑応答の際に困らない。基本的な知識は頭に入れとかないと話についていけない。自分の考えも述べられたほうがちゃんと考えていると相手も思ってくれると思う。ボイスレコーダーは必須」（植物工場）

「自分が取材しに行った方は、最初に依頼のお手紙を送った方に紹介された方でした。待ち合わせの日は、電車に１本乗り遅れてしまったので10分遅刻しました。幸いにも自分の携帯端末に先生のメールアドレスを入れていたため、なんとか遅刻の連絡を取ることができました。すごく優しい方で、話すうちにだんだんと話せるようになりました」（ＡＤＨＤ）

「あこがれの出版社の中を案内してくださって、とても充実した時間になりました。取材も自分が知りたいことについてくわしく教えてくださり、楽しい時間になりました。相手のかたから非売品のプレゼントをいただいたり、歓迎されてとても嬉しかったです」（雑誌編集）

「日本中世史を専攻されている教授の先生に取材を行いました。自分で交渉をし、取材を行う初めての経験でした。取材では本当に緊張し、言葉を噛んだり頭が真っ白になることもたびたびでした。後輩にアドバイスするなら、取材する質問を多めに考え、メモしていくこと！」（忍者）

こうしたフィールドワークによって、探究学習が楽しく一気に進む場面を何度も見てきました。もちろん会って話を伺いたいからこそ、取材を申し込むのですが、それが実現する中で、マイテーマが姿を変えて、深まっていくのです。現場での体験は学びを「本物」にします。

◆自宅で冒険・プロジェクト

ヨーグルトを題材にしたとします。何種類もの商品をおいしく食べたら、容器に書いてあることをよく読んで比べてみます。種類別名称・原材料名・成分・価格・消費期限……。さらに、牛乳に種菌としてヨーグルトを加えて発酵させると、自作ヨーグルトの完成です。このように研究対象を手にとって調べたり、実験や調理や工作に挑戦したりする「プロジェクト」もまた、現場に立つ学びです。最近の中学生の記録から紹介します。

低予算で高性能なコンピュータを自作する／豚骨からラーメンスープを作る／スクラッチ・Python等でゲームを製作／オリジナルアニメの制作／トウモロコシの栽培／クジラの肉を買って食べた／ランニングシューズの解体／3日間の個人情報端末の使用禁止体験／宮崎駿監督作品の「食べるシーン」を調査しエクセルで整理／漫才を自分で作り家族や

友人に見せた／カッテージチーズとモッツァレラチーズを作る……。

プロジェクトの場合も、日程や準備や予算を書き込んだ計画書を作ります。その上でプロジェクトの「記録ノート」を用意します。科学者が書く実験ノートのようなものです。実験ノートには「いつどんな条件で実験をして、どんな結果がでたのか」を書き留めておきますが、こちらのノートには、もっといろいろと書いておきたいものです。たとえば、計画時のアイデアから始まって、材料購入時のレシートや商品のパッケージを貼ったり、自分のコメントや感想、家族の反応などを細かに書き留めたりします。一方で、写真や動画もノートのメモと同じくらい大切ですから、こちらも忘れずに。写真が1枚あるだけでその時の記憶はかなり呼び戻せるものです。こうしたノートの記録や写真や動画をまとめると、臨場感のある報告書が書けます。フィールドワークもそうですが、自分で経験したことの報告は、当然あなたにしか書けません。「オリジナル」とはそういうことです。

◆熱意ある生徒に世間はあたたかい

さて、この章では探究学習の一番楽しい場面、フィールドワークとプロジェクトに焦点をあてました。たくさんの経験から「学ぶ熱意を持った生徒に世間はあたたかい」という思いを毎年強くします。フィールドワークはみなさんとリアルな社会との、よき接点・巡り合いの機会です。大学の先生のみならず、多くの企業や団体のみなさんが、生徒たちへの支援（＝教育）の意義を認めていて、そのために時間を割いて下さっているのです。

フィールドワークに二の足を踏む（決断できずにためらう）生徒は多いです。しかし、扉は叩かないと開きません。その勇気は必ず報われます。また、プロジェクトも、出来合いの知識ではない整理もされていない、複雑な現実をあなたに突きつけます。マニュアルやレシピに書いてあったからといって、その通りにはいかないのが世の中なのです。かえってその方が面白く工夫のしがいがあります。とまれ、フィールドワークにしろプロジェクトにしろ、自分の実体験を通じて、そこから輝くような言葉を記録に残してほしいです。

第5章 マイテーマの探し方②

テーマ（問い）を設定して研究論文をデザインしよう

ここまでの章で、題材決め（第2章）、ピースづくりと作品作りの基礎（第3章）、フィールドワークの実際（第4章）、と紹介してきました。そのようにして「調べる学習」がまとめられたなら、これは立派です。とにかく自分の関心から目をそらさずに、しかも面倒なルールを守って、自分で世界を作り上げたのですから。

しかし、そうした「調べ（ました）学習」は残念ながらまだ〝研究〟あるいは〝論文〟とはいえません。研究論文は、自分なりのテーマ（問い）を設定して、資料に学びつつフィールドワークなどを通じて、オリジナルな結論（答え）を論理的に主張する文書だからです。ここでの「問い」と

この本で紹介する
3つの探究学習

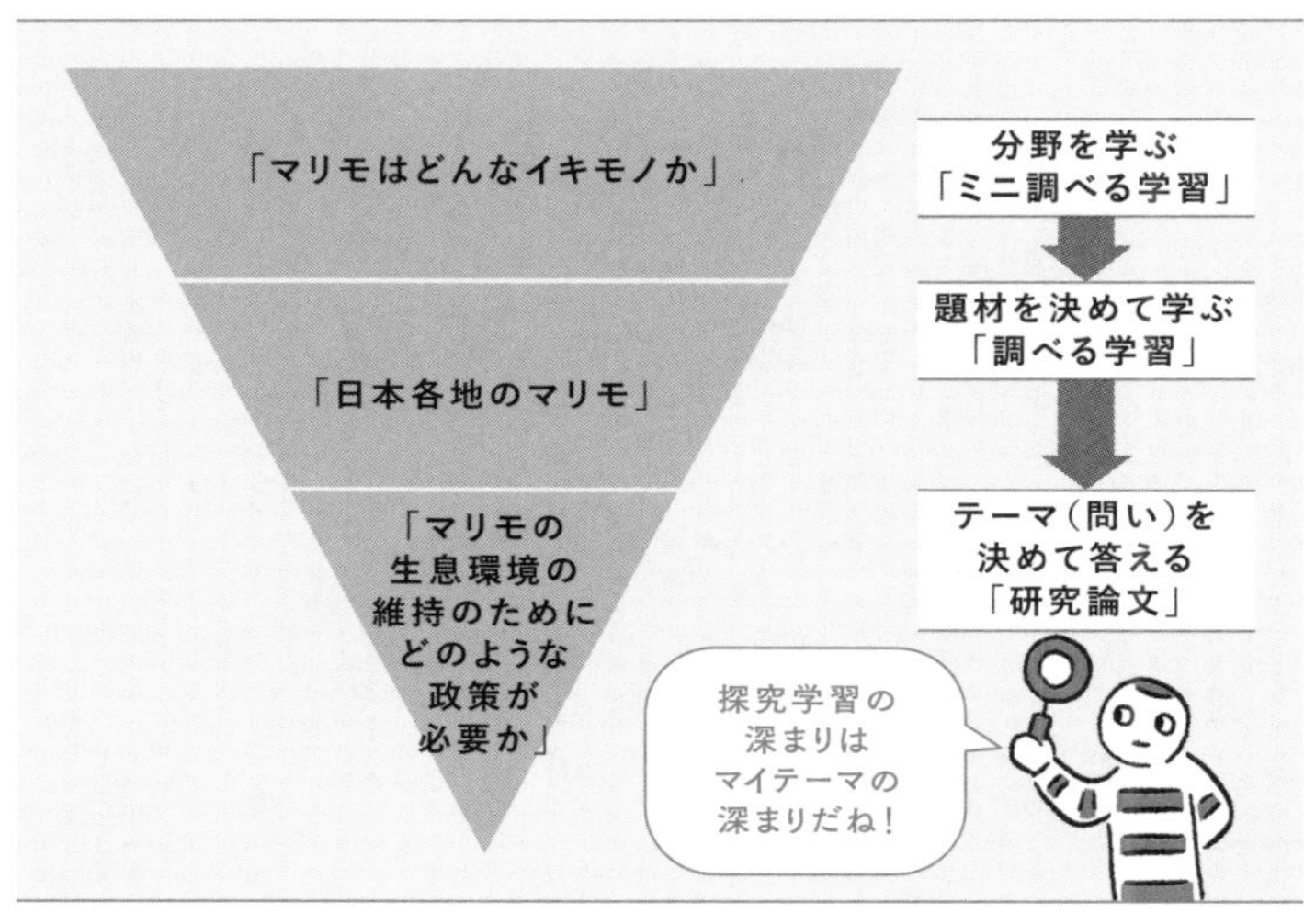

「マリモはどんなイキモノか」

「日本各地のマリモ」

「マリモの生息環境の維持のためにどのような政策が必要か」

分野を学ぶ「ミニ調べる学習」

題材を決めて学ぶ「調べる学習」

テーマ(問い)を決めて答える「研究論文」

探究学習の深まりはマイテーマの深まりだね!


は、だれが調べても同じ結果になるような問いではありません。だれも答えていない、あるいは何通りも答え方のある問い、それが研究の問いなのです。もしそんなテーマ設定をして研究ができたなら、それはもう超中学生級といえるでしょう。

◆研究論文とはなにか

ここで少し、この本で紹介した3つの探究学習、「ミニ調べる学習」と「調べる学習」と「研究論文」について整理しておきましょう。「ミニ調べる学習」と「調べる学習」は、「分野や題材を決めて調べる探究学習」です。つまり学ぶ対象について情報を集めてまとめる学習です。手短にコンパクトにまとめられるのが「ミニ調べる学習」でした。ここから（例としてあげた）マリモについての知識を増やして、たとえば「日本各地のマリモ」とか「マリモの栽培」といった、焦点を絞った「題材」を決めて調べていくと、かなり大きな「調べる学習」の作品にも育てられます。

一方、さらに進んだ探究学習が、「研究論文」です。「マリモ」を題材にただ調べるのではなく、「マリモのなにを問題にするのか」を考えます。たとえば「マリモは観光資源としてどう活用されているのか」とか、「マリモの生息環境の維持のためにどのような政策が必要か」といった形です。研究論文はこのようにテーマが「問い」になります。

こうした問いに答えようと思うと、マリモそのものだけではなくて、観光の実態や行政の仕組みなどいろいろな知識が必要になってくるのが予想できますね。このようにテーマを決めて（問いを設定し）、情報を集めて結論（答え）を導く作業は「研究」と呼ばれますし、ふつう研究は「論文」の形にまとめられますから、この本では「研究論文」というちょっと難しそうな言葉を使っているわけです。

「ミニ調べる学習」と「調べる学習」と「研究論文」、難しさの違いはありますが、共通していることも多いです。なにより、どちらも自分の興味で題材やテーマ（問い）を決める、というところが共通しています。つまり、探究学習はいつでも「マイテーマ」で学びます。言い換えれば、探究学習は「調べさせられ学習」や「研究させられ論文」ではないのです。次に、図書館やインターネットを使って情報を集め、その引用や出典の書き方のルールを守る、といった手続きも共通しています。ですから、第3章までに学んだ「調べる学習」のあれこれの方法は、そっくりそのまま「研究論文」でも使えます。もちろん、フィールドワークやプロジェクトなど、現場に触れる学びにも挑戦してもらいたいものです。

次に紹介するのはここ数年の中学の卒業論文のテーマです。タイトルは「メインタイトル――サブタイトル」の形をとります。メインタイトルはテーマとして問いの形になります。サブタイトルには端的な形で結論（答え）を入れる場合が多いです。

【中学生の卒業論文のタイトル例】

・日本の里山を守るために何ができるか――学んで、参加し、広めて里山保護社会をつくる

・危険を伴う月面着陸にどんな意味があったのか——アポロ計画がもたらした最新技術は、多くの技術分野で応用された
・ジブリ飯はなぜ美味しそうに見えるのか——「食べる」から「生きる」を表現する
・カメの外来種にはどのような対策が必要なのか——関心を持ってもらう国営プロジェクト
・なぜ、妖怪が人々の興味の対象となってきたのか——時代と妖怪の変化
・どのようにして盲導犬を普及させたら良いのか——視覚障害と社会意識
・A・A・ミルン『クマのプーさん』と劇場版「くまのプーさん」にはどのような違いがあるのか？——アニメーションに適した表現の拡がり
・クラシックバレエのバレリーナはどのように「美」を表現するのか——ポジション、プリエが支えるアンディオール、アプロン、バランス
・殺処分をゼロにするにはどうすればいいのか——ペット市場全体を見直す法律改正
・ポケモンは家庭用ゲームをどう変えたか——ゲームが生むコミュニケーション
・現代の日本におけるお菓子の役割とはなにか——栄養補給から心理的効果、コミュニケーションツールへ

・コストコ消費は日本人の買い物にどのような影響を与えたのか——買い物を遊びにした
・なぜ教科書から偉人が消えるのか——大学入試における教科書の差をなくす
・高性能カメラ専用機の魅力は多くの人になぜ伝わっていないのか——価格と操作性の難しさ
・ガンプラはなぜ親子二代のヒット商品となったのか——ニーズとともに歩む商品
・どうすれば日本のフクロウを守ることができるのか——共存する里山と生態系を守る
・動物園ではどのようにして動物福祉を考えているのか——環境エンリッチメントによって野生本来の環境を整える
・パソコンの処理時間短縮には何が必要なのか——ゲーミングPC「WASABI 1st」の作製を通じた実証実験
・硬式テニスラケットはどのように作られているのか——企画とデザインがともに作る魅力ある商品
・食虫植物はなぜ虫を食べるようになったのか——極限の土地で生き残るために

◆ピースが集まり、テーマが生まれ、研究論文がデザインされる

いろいろなタイトル例を紹介しました。では、どのようにすればこうした研究論文のテーマ（問い）が生まれるのでしょうか。ここでは、ピースが集められ、テーマ（問い）が設定されていく道のりの例を紹介します。第3章では、カラオケを題材にしてピースを集めて章を作り、「調べる学習」を完成させました。ここからは、「(3)ピースが集まり「章」ができる」（66、67ページ）の続きからはじめます。

(3)ピースが集まったので似たピースをまとめて整理しました。すると、カラオケの定義や起源をまとめた「カラオケとはなにか」という基礎知識の第1章ができました。

(4)順調だった研究ですが、悩みも深まってきました。それは「カラオケを題材にどんなテーマ（問い）を設定するのか」という悩みです。「好きだから一体ナニ？」というわけです。

(5)いろいろと考えたり、相談したりするうちに、カラオケの歴史に注目しました。カラオケが普及しはじめた時期、大人ばかりがお酒を飲みながらカラオケを楽しんでいたというのです。そこではさまざまな事件も起こり新聞紙上を賑わせました。ではどうしてカラオケは現在、小学生だけでも楽しめる娯楽になったのでしょうか。そんなテーマがぼんやり

4 かたまりが増えるが悩みも

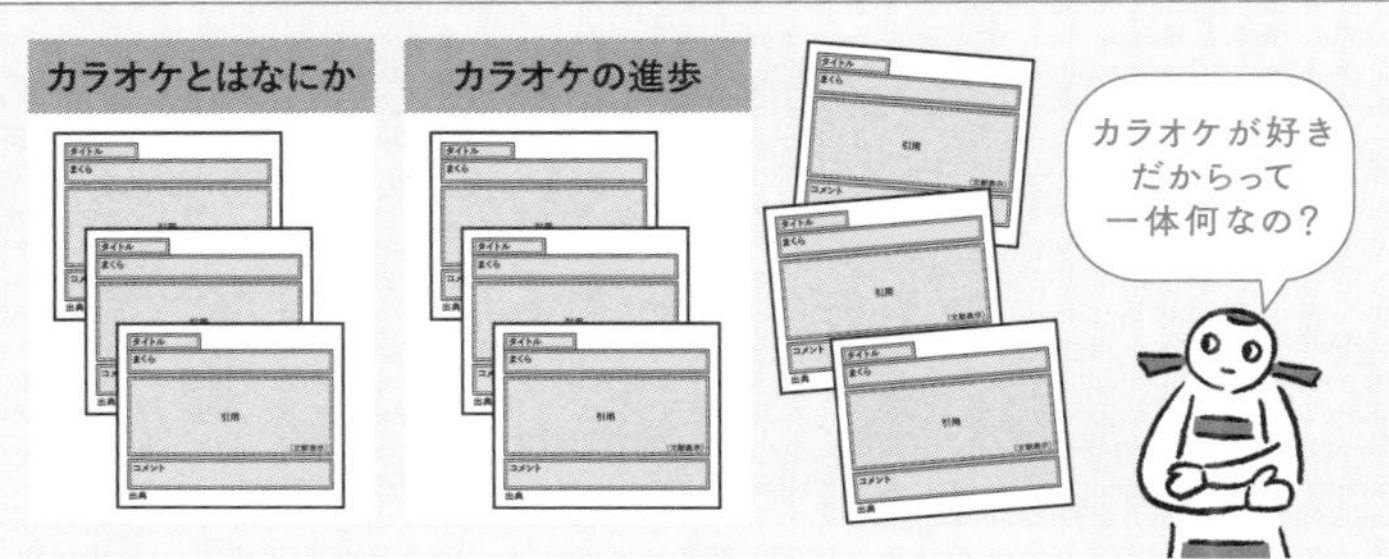

5 テーマと目次が姿を現す

6 テーマ設定とフィールドワーク

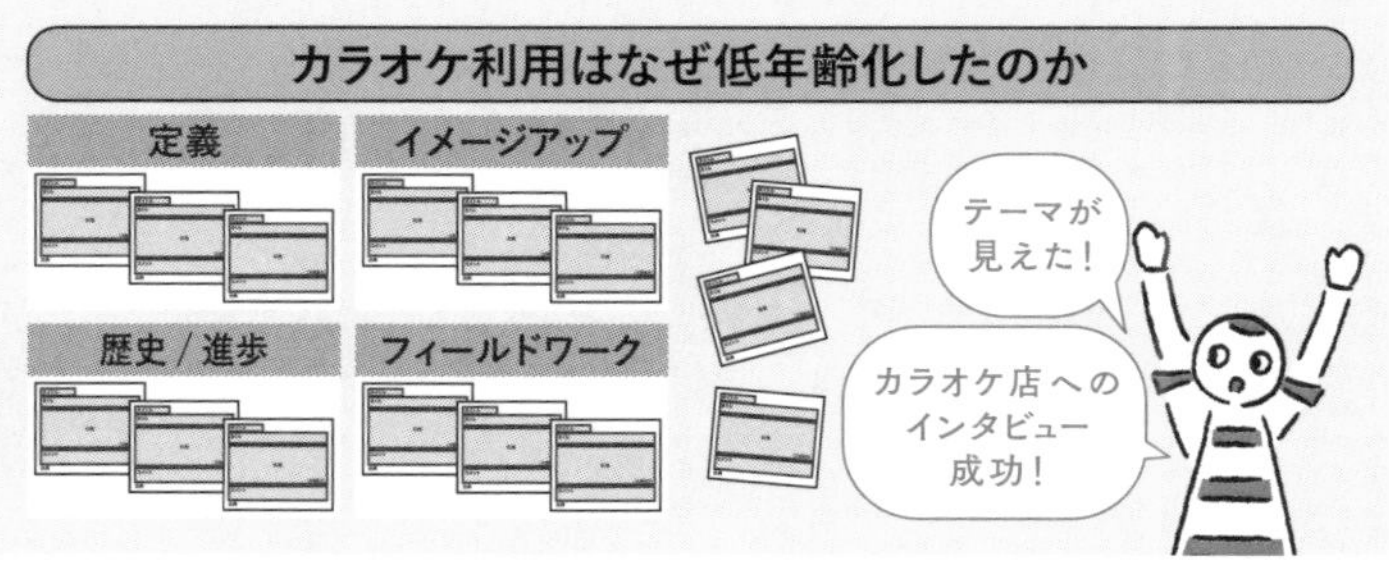

7 論文の構造が見える

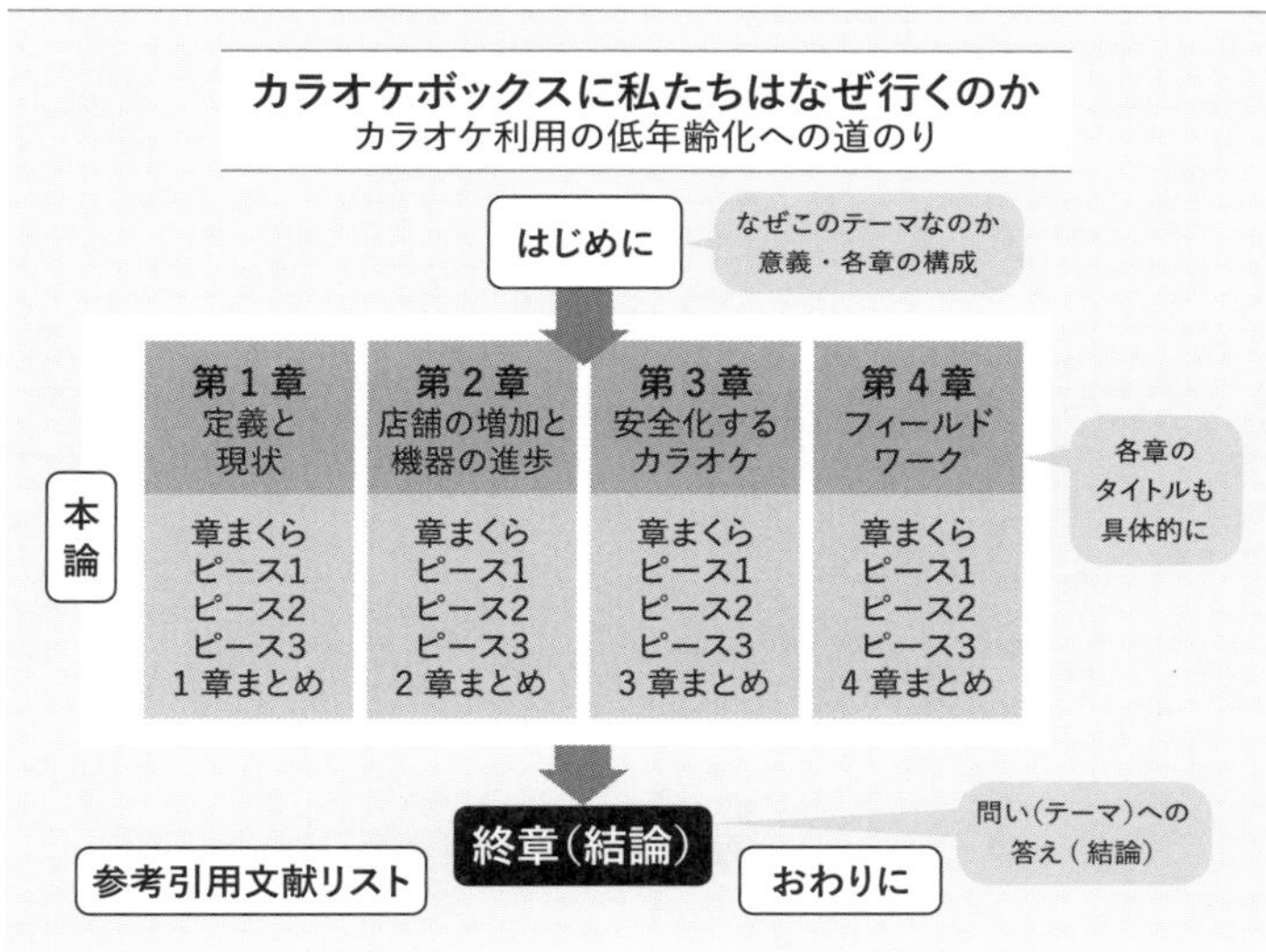

と見えてきました。時を同じくして、カラオケ大手チェーンに取材も行いました。

(6)「カラオケ利用はなぜ低年齢化したのか」。これがテーマです。第1章ではカラオケの定義や現状、第2章ではカラオケ機器の歴史や進歩について、第3章では安全化するカラオケルームとカラオケ業界のイメージアップへの取り組みをまとめます。第4章ではフィールドワークを通じてカラオケチェーンの実際の企業努力を報告します。

(7)カラオケの研究はこのような道のりをへて、テーマ（問い）が決まり、研究全体がデザイン（構造化）されました。「カラオケ利用はなぜ低年齢化したのか」という問いに対する、終章に書かれた結論は、「企業や業界団体のさまざまな努力によって、安全性が高まりイメージアップがされたため」です。

こうした研究を通じ、「私がカラオケで友だちと唄えるのはいったいなぜなのか」という素朴な問いに、生徒は自分で答えをみつけたのです。そこで研究論文のタイトルは「カラオケボックスに私たちはなぜ行くのか――カラオケ利用の低年齢化への道のり」となりました。

◆テーマにならない「問い」のいろいろ

このように書いてしまうと、カラオケ論文もすんなりとテーマ（問い）が決まり、結論に行きついたように見えます。しかし、この生徒にしても、ほかの多くの生徒にしても、そこに行きつくまでに悩んだり迷ったりしているのです。たとえば「テーマだから疑問文に」と求めると、「それはやめたほうがいいね」という問いが、毎年いろいろ現れます。ここではそうしたテーマとして成り立ちにくい問いの4つのパターンを紹介します。

――解決済テーマ――そんなの常識

「燃料電池車はどのようにして動くのか」など、すでに解決済の問題はテーマになりません。「自分が知らないから調べる」のは、テーマ設定の前段階です。つまり、だれが調べても同じ結論になる問題はテーマにはなりません。燃料電池車に興味があれば設計・製作のプロジェクト型の研究はどうでしょう。自作パソコン製作の研究で「低価格高スペックパソコンをどう実現するか」というテーマがありました。工学系はプロジェクト型研究が似合います。

――ハウツーテーマ――結局は本人の努力と運次第

「どうすればダイエットに成功するか」「どうすれば記憶力（集中力）をアップできるか」といったハウツー（how-to）テーマは避けます。なぜなら、それらが実現できるかどうかは、個人の努力や素質・運によるところが大きいからです。たとえばダイエットのCMは成功例を盛んに紹介します。とはいえ、それがダイエット法の有効性を証明しているわけではありません。「努力して、しかも運よく成功した人」を選んでCMに起用している、という可能性は否定できませんから。

――未来予測テーマ――なんとでもいえる

「日本経済はどうなるか」「日本の農業の未来」などもテーマになりません。未来の予測はなんとでもいえるからです。「阪神は来年優勝するか」は言いたい放題です。反対に「2005年になぜ阪神は優勝できたのか」なら論証・議論ができるテーマです。

―好き好きテーマ―　きっとみんなそう思ってるよ

「犬はなぜ愛されるのか」、「ディズニーランドはなぜ人気なのか」などもよく出てくるパターンです。「テーマは問い」を安直に受け取ると、流行や人気の理由探し、つまり「好き好きテーマ」になりがちです。このまま研究を進めると「犬は人に癒しをもたらすから」といった常識的な結論になります。だれでもふつうそう思いますよね。常識の確認は研究ではありません。一方で、ディズニーランドの人気について、それまで注目されなかった人気の原因を考察するというなら、話は別でテーマに値します。

テーマ（問い）を吟味すると、「ハウツーテーマだよね」、「それは君が知らないだけ」、「未来のことなんかだれにもわからん」、「そんなん、みんなそう思ってる」などなど、さまざまなツッコミを受けるかもしれません。しかしそれは、あなたの興味が間違っている、ということを意味しません。題材を絞ったり、視点を変えたり、使う言葉（用語）を改めれば、今の題材が面白いテーマ（問い）に育つ可能性は十分あります。興味があるなら簡単にあきらめるべきではないのです。

◆「好き好きテーマ」からの脱出――「ディズニーランドの経営の秘密」は秘密ではない

ここではある生徒のテーマ（問い）の変化を紹介します。はじめに彼女が立てたテーマ、それは「ディズニーランドにはどんな経営の秘密があるのか」でした。ディズニーランドについて疑問に思っていたことを、次々とあきらかにして充実して学んでいるようでした。しかし、提出された目次をみると、何か物足りないのです。自身も語っていたように、いまひとつ突っ込みに欠けています。なぜなのでしょうか。

実は、テーマにある「経営の秘密」は、すでに読んでいる本の中で明らかになっているので、秘密でもなんでもないのです。たしかにディズニーランドを経営するオリエンタルランドの経営は注目に値します。

しかしそうした〝秘密〟はだれが調べても、どうしたって似たような内容になります。となると、この研究論文が「ディズニー本」の要約・紹介をして終わってしまうのではないか……、そんな予感がして、生徒は物足りなさを感じていたのです。しかも、原稿の中には、「ディズニーランドの驚異のリピート力の秘密」というピースがありました。こうした書き方に「ディズニーランドＬＯＶＥ」の姿勢が見えます。要は問題意識がディズニーランドとその本の中で完結してしまっていたので、突っ込みに欠けていたのです。「好き好きテーマ」の典型例です。

　ではどうしたら「ディズニーランドＬＯＶＥ」と距離をおいたテーマ設定ができるのでしょうか。ディズニーランドを外から眺めて（相対化して）テーマを考えた結果、完成した論文のタイトルは「東京ディズニーリゾートのさらなる展開――父親の心を摑む魔法とは」でした。きっかけは、彼女が実際に目撃した、ディズニーランドのテーブルで突っ伏して寝ている男性の姿と、女性のゲストが7割強という統計データでした。男性客が少なく楽しんでいない現状が問題、という「経営者の視点」がテーマになりました。そこで、子どもを持つ父親・母親にアンケートし、ディズニーリゾートに「行ったことがなく、行きたくもない」父親層がいることを示しました。その上で、入園者増の方策についてアイデアを練ってオリエンタルランドへの提案を考えて、取材に訪れたのです。好きだからこそ多くを学び、多くを学ぶからこそ何かしらの問題に気付く、そうした道のりをたどった優れた研究でした。

◆研究を難しくする8つの誤解

目を転じて、この項ではマイテーマにたどり着けない原因を、「学習に対する考え方」に求めます。正直に言ってしまうと、授業が終わりに近づいてもなにをしていいのかわからない、題材がみつからない、あるいは探究が楽しくない、という生徒が毎年かならず現れます。一体なぜなのでしょうか。探究学習はふだんの授業やテストと違うので、これまでの経験ややり方がマイテーマ探しをかえって邪魔をしている場合があるかもしれません。そう考えて次に紹介するような誤解が原因かもしれない、と思うようになりました。せっかくなので、それぞれに愛称も付けて紹介します。

―学習手段説―　ノルマちゃん／アリバイ君

探究学習を含め、学校の学びはよい成績のため、あるいは怒られないためにする、という誤解を「学習手段説」といいます。勉強が〝手段〟なら、興味があるからではなくて、「どれだけやれば合格か」という目標作業量（ノルマ）や、「サボってないよ」という証拠（しょうこ）（アリバイ）のために努力しがちになりますよね。これでは探究学習は面白くなりません。

―コスパ優先説― **楽ちゃん／コスパ君**

もし学習が〝手段〟なら、「楽なテーマを見つければいいや」と考えても不思議ではありません。このような誤解が「コスパ優先説」です。では、コスパ優先で本当に楽かというと、そうでもありません。楽なだけの題材やテーマはひとつもないからです。たとえ楽ちんに見えても、肝心（かんじん）の興味がなければ楽しくはなりません。反対に、興味を持った題材に取り組めば、そのパフォーマンスや充実感は想像以上です。ところが、コスパ君はそれが信じられないので、力を出しおしみして省エネモードに入ります。その結果として、面白くないノルマを、文句を言いつつこなす（処理する）しかできなくなるのです。

―キャラ優先説― **チョコちゃん／キャラ男くん**

興味より、自分の立場や、「どう見られるか」を優先して題材を考える誤解を「キャラ優先説」といいます。こうした考えが強く働きすぎると、気取ったりウケねらいでネタに走ったりして、自分の興味を見つめなくなります。女子の場合は、チョコレート・紅茶・

色などを、男子の場合は身近な食べものやちょっと下品なタイトルを選ぶ傾向があります。どちらも「動機に説得力がない」という症状で判定できます。

テーマは自分と相談して決めるものです。自分の心が〝これ〟と指さしている題材に素直に向かい合って下さい。教室の人間関係に惑わされてはいけません。ある先輩が後輩に向けて書いています。「人の目を気にして大して興味もないのに「可愛いから」とか「かっこいいから」という理由でテーマを決めない方がいい。私は「あの世」に興味があったから、人目を気にせずにそのテーマ（地獄）で執筆すると素直に楽しかった」。自分のこだわりがいつでも正解です。

―研究筆写説―　**コピーちゃん／ヒッシャーマン**

ある生徒がやってきて「先生、資料を写す以外になにをすればいいのですか」といいました。「丸写しが探究学習」そんな誤解を「研究筆写説」といいます。確かに研究は丸写しの引用なしには進みません。しかし、そこにコメントを加えるからオリジナルな研究になるのです。写すだけならコピー機に頼みますし、モトの本を読みますよ。

―評価分量説―　**グラムちゃん／ハカリくん**

研究論文が写すだけでできるものなら、「どれだけ写したかで評価される」という誤解も生じます。これが「評価分量説」です。以前、「研究論文が課題」というと、「何枚？1文字1点だったりして」とつぶやいた生徒がいました。たしかに、論文にしようとすればある程度の文字数はどうしたって必要ですが、引用で水ぶくれした論文はごめんです。面白く学べば文字数は当然増えます。私の学校では四万字という生徒も現れました。実際のところテーマへの熱意は分量にも表れますが、評価の基本は分量より中身です。

―悩めば解決説― **オトメちゃん／Mr．ロダン**

腕を組んで、悩んでいればテーマが決まると考える誤解が「悩めば解決説」です。なにもしないのに題材やテーマがやってきたりはしません。テーマは「こちらから迎えにゆく」ものです。本棚に行って本を開く、友だちとしゃべる……。そうして頭と体を動かすから、手がかりが見つかります。だから、図書館にはマイテーマ発見の「隠し扉」が無数にあると思っていいのです。扉の向こうにいくら財宝があっても、扉を開けない者には見つかりません。開ける手間をおしんだプレイヤーは、同じステージをぐるぐる回るだけです。

―天下り説― **雨乞いちゃん／ナニカナイ君**

学ぶ内容はいつでも先生が決めて与えてくれる、「天から降ってくる」という誤解を

「天下り説」といいます。「なにかいいテーマないですか」と問われれば、「勝手に考えて下さい」としかいえません。探究学習の授業の一番の特徴は「先回りしない」です。マイテーマという一番大切なところを先生に頼る、そんなのはありえません。

――近道存在説――　ショートカットちゃん／ぬけ道くん

「問い」を考えて「答え」にたどり着くのが目的なのだから、答えがありそうな問いを決めて、インターネットで答えを探してくればよい、という誤解が「近道存在説」です。たしかに、研究は問いを立ててそれに答えます。しかし、本当の目的はそこにはないのです。興味を持って調べて、その世界に分け入って問いを探す、その学びの道のりそのものが目的なのです。わかりにくい話ですが、むしろ遠回りしたり道に迷ったりして、考えた形跡を論文に残すほうが、見栄えのいい正解探しの解説論文を作るよりずっとずっと大切です。どんな問いでも考える過程は裏切りません。長い目でみれば、そこで考えた経験こそがあなたの思想を深め、価値観の核を作るからです。

おざなり（その場かぎりのまにあわせ）に問いを立てても、いいことはありません。第一、取り組んだ本人が面白くありません。ましてや、問いの答えをネット上からコピペ（剽窃）する誘惑に負けると、事態は一層深刻になります。切り貼りした文章は簡単に見抜けます。しかも、ほとんどの大学では（そのうち高校でも）、コピペを探す剽窃チェックのソフトが働いています。近道・抜け道を通って残るのは、後味の悪さだけです。

以上の誤解をまとめるとこうなります。探究学習を何かの手段と考えて、コスパを優先したり、自分の演ずるキャラにこだわりすぎたりすると、うまくいきません。また、探究学習は写す作業ではありませんし、コピペの近道もありません。中身が大事で分量はめやすにすぎません。さらに、テーマはただ悩んでいてもやって来ないので、結局のところ、自分の興味だけが歩むべき道を指し示します。

こうして読んでくると、気が重くなるかもしれません。だれでもこうした気持ちが頭のどこかに、いくぶんかはあるものですから。でも、こうした誤解に強くしばられないように注意する一方で、自分の興味から目を離さなければ基本大丈夫、と考えてください。

探究学習は確かに大変です。でも、あなたにはなにかしらの興味・好奇心・問題意識があるに決まっています。今はまだ見えてはいないかもしれませんが、人はみなそうした基本的な性質を持っているからです。そしていったんなにかに興味をもてば、同じ興味を持った先達（先輩）が残した文献や資料が、味方・仲間として図書館やネットの中から、きっとあなたをあたたかく迎えてくれるでしょう。

◆探究学習という学びはどんな道のり？

いよいよマイテーマ探しや探究学習の難しさがはっきりしてきました。ここでは探究学習がどんな道のりなのかを、「大航海」というたとえ話を使って解説します。探究学習の道のりと言えば、〈テーマを設定する➡情報を集める➡整理・分析する➡まとめる〉のようによく書かれています。授業はたしかにこんな順序で進められるでしょう。しかし、一人ひとりの探究学習はこのように順序よく、ステップを上がるようには進みません。そもそも道のりは100人いれば100通りなのです。

探究学習を、行き先がわからない「大航海」によくたとえます。想像してみて下さい。一人ひとりが船長になって、目的地を考えながら旅する大航海です。航海なら出発の前にふつうは目的地が決まっていそうなものです。しかし、自分はもちろん先生もどこに行くのかわからないのが、探究学習の航海です。先生は「どんなテーマにする？」と問いますが、その答えは自分にしかわかりません。無茶のようにも思えますが、たくさんの小中高生がこうした調べる学習・研究論文に毎年挑戦して、楽しく学んでいます。

大航海は、ときに不安で複雑な旅路です。興味を大切に書き始め、しばらくすると初めに考えた目標や目的が変わって、予想もしなかった作品もできてしまいます。「マイテーマ」とはいっても、途中で姿を変えるのはあたりまえ。「自ら課題を見つけ、自ら学ぶ」ということは、だいたいそういうものなのです。予定通りにはならず、決まった道もなく、迷ったりジグザグしたりしながら進むのがふつうです。

◆テーマ（問い）は一体いつ決まる?

「テーマが問いの形になるのは一体いつなんですか?」と質問されたことがあります。授業のなかのある時期に、生徒のテーマ（問い）が、足並みそろって決まったりはしません。本当にバラバラなのです。早い人は「授業がはじまる前」から決まっていたりするのです。「近所の川に入りこんだ外来種のカメをなんとかしたい」とふだんから考えているような場合です。問題意識を持ち合わせている、といってもいいでしょうか。でも、そうしたケースは実際には少なくて、ここまでに紹介したように、「好きなカラオケを調べているうちにテーマを発見した」というような場合がやはり多いのです。

ところが、いくら好きであっても、締め切り間際でも、テーマ（問い）がみつからない、という場合もよくあります。そんなときにはこんな助け舟(ぶね)を出します。「コツコツ作ったから、たくさんピースができたよね。そのピースの山を振(ふ)り返って見たら、その山はどんな問いに対する答えになるのかな?」。つまりピースの集まりとしての「答え」が先にあって、それに応じて問いを設定しようという作戦です。さらにいろいろおしゃべりしながら、「ピースを読んで見ると、つまりこんなことに君はこだわってきたのではないの?」というと、「そう！　そうなんです！」と急に晴れやかな表情になる瞬間(しゅんかん)があったりします。岡目八目(おかめはちもく)（まわりの人のほうが本人よりも物事がよくわかること）も、たまには悪くはありません。

そんな風に考えてくると、問いが先にあってそれに答える、という順序もだんだん曖昧(あいまい)になってきますが、それでもいいのです。結局、「テーマ（問い）は一体いつ決まる?」という、問いに対する答えは「その時がきたら」としかいえないのかもしれません。

◆はじめに書きはじめていい「おわりに」

さて研究の最後にあるのが「おわりに」です。ここには残された問題、お世話になった方へのお礼の言葉などを書きますが、最も書きたいのは研究の動機やきっかけです。要は

「なぜその題材を選んだの？」の質問に、個人的な答えを書けばいいのです。「おわりに」だから、最後に書けばいいのだろうという勘違いをしていませんか。この動機についての問いは、はじめに書いた研究企画書の中にありましたね。だから、「おわりに」を、はじめに書きはじめてもいいのです。

ところで、「おわりに」に至るまでの、研究の「本論」は、客観的で冷静な（「気取った」といってもいいかもしれませんね）文章が必要でした。しかし、「おわりに」には、一転して主観的で思い入れのある文章を書いてかまいません。その題材と出会った時のこと、印象的なさまざまなエピソード、好きなら好き、不満なら不満、驚きなら驚きを、具体的に書いてください。これまでの禁じ手であった「感想」が書けるのが「おわりに」です。

研究論文の読者が、研究の意義や問題意識を知りたいのは当然です。これは「はじめに」に書きましたね。しかし、それと同時に、執筆者（あなた）の動機や「そんな研究をした人はいったいどんな人なのか？」を、知りたくなるものです。ですから、研究論文を読むときにタイトル「カラオケボックスに私たちはなぜ行くのか――カラオケ利用の低年齢化への道のり」と「はじめに」を読んで、すぐに、「おわりに」を読みだす場合も多いのです。「おわりに」を読んで、「へえー、休みのたびに友だちとカラオケに行って、こんな歌が好きで唄っている生徒が、こんなテーマで研究したんだ」ということを、読者はどこかで納得したいものなのですね。いわば研究論文を書いたあなたの「背景」を、読者は知りたいのです。

「おわりに」は、作者の魂（たましい）というか気持ちが入る場所です。そうした意味で、ここは研究の中でも味わい深く熱い所です。そして、「おわりに」が熱い研究には、たとえ本論の要領が悪くとも、例外なく人を動かす力があります。研究の「原点・魂」が熱いのですから、その熱が研究論文全体に伝わって当然ですね。

一方で、「おわりに」がいつまでも書けないひとがいます。研究の動機がほとんど思いつかないのなら、その題材やテーマは結構危ないです。そもそも研究の原点に火がついていないのですから。

大切なことなので最後に念を押（お）します。マイテーマはどんなに悩んでも自分の興味を優先させます。なぜなら、難しい言葉でいえば「イニシアチブ（主導権）」を持ってはじめるからこそ、探究学習が面白くなるからです。遊びや仕事も自分で決めれば断然楽しいです。せっかくの探究学習を「調べさせられ学習」「やらされ探究」にしてはなりません。

付録

仲間の学びを助けよう

この付録でこの本もおしまいです。このパートのテーマは「どうしたら仲間の学びを手助けできるか」です。ともに研究に挑んでいるクラスメイトや、これから探究学習に挑戦する後輩たちに、あなたが手助けできることは多いのです。学ぶだれかを手助けできるのは、先生や図書館の司書さんばかりではありません。

◆学びを手助けするキャラクターになってみよう

探究学習が学校のふだんの授業とかなり違っているのは、これまで読んできた通りです。いってみれば、これまでの勉強の定石（一番いい方法や手順）が通じないのですから、探究学習の手助けのしかたも違います。ここではその役割を3つのキャラクターで紹介（しょうかい）します。

――ソクラテス――　ソクラテスというのは昔のギリシアの哲学者（てつがく）の名前です。この哲学者、問いかけるなかで何が正しいのかを一緒（いっしょ）に考えよう、という問答法で有名です。みなさんも、友だちに「テーマなににするの？」と気になって問いかけることがありますよね。実はそれが、探究学習にとって一番大事な手助けなんです。人は問われれば考える生き物ですから、問われたことがきっかけになって、「なにを題材にしようか」、「どうやって学ぼうか」、「そもそもなぜこのテーマなのだろう」と、さらにいろんな問いが友だちの中にも生まれます。問いが相手の心をざわつかせるのです。その意味でソクラテスは、マイテーマが生まれるのを助ける、〝助産師〟のような役割を果たすともいえます。

――かまど番――　古くさい言葉ですが、キャンプでかまどの炎（ほのお）の世話をしたことのある人ならわかるかもしれませんね。かまど番は探究学習で本や情報を紹介する人です。かまどの火が学ぶ本人の興味や好奇（こうき）心、かまどに入れる薪（たきぎ）が本や資料、というわけです。図書館で本を探しているとき、「あ、この本は○○をテーマにしているあいつに持って行ってやりたいな」と思ったりするものです。「YouTubeでこんな動画あったよ」などと親切に声をかけたりしたくなるでしょう。こうした力をトレーニングして、プロとしての力（レファレンス力）を身に付けているのが、図書館の司書さんです。

―指南役― 剣術を教える人を、指南役といいますが、ここでみなさんが後輩に指南するのは、「情報活用術」や「論文術」です。探究学習の経験があるなら、図書館での本の探し方や、インターネットでの信頼できる情報の探し方、いろいろと面倒な参考引用文献の書き方などを、後輩たちに伝授できるかもしれません。また、指南は「南を指す」と書きますが、ある題材に対して「こんなこともできるよね」という可能性を指し示す役割であってもいいのです。たとえばカラオケなら「外国に住んでいた○○先生に現地のカラオケ事情をインタビューしたら面白いかもねー」のように。

この3つのキャラクター、共通して大事にしたいのは「先回りをしない」です。たとえ本を紹介したり、取材方法を提案したりしたとしても、無理強いをしてはなりません。何をなぜ学ぶのか、どんな本を読むのか、どんな学び方をするのかは、本人次第なのです。

◆お互いに添削してみよう

いくつかでもピースができたら、あるいは、草稿（下書き）が書けたあたりで、お互いに添削をしあうと面白いです。コンピュータで原稿を書いているなら、プリントアウトして交換して、赤ペンを握ってはじめます。次ページの研究論文チェックシートを参照して下さい。

もっとさまざまなチェック項目も考えられますが、ここに書いてある項目を直すだけで、かなり研究論文らしくなってくるから不思議です。もちろん原稿を読んで「ここの文がよくわからない」とか、「この単語の意味わかりにくい」などといった感想も書いてあげると素晴らしいです。添削は丁寧にするほど親切なので、遠慮はいりません。

相互添削をすれば、自分では気づかない細かなこと、たとえば「.」（ピリオド）と「、」（読点）と「,」（カンマ）の違いまで、指摘してくれたりします。一方で、添削者の立場から、記述のルールも身に付きます。

研究論文チェックシート（パソコン原稿用）

◆ピースや文章のルール◆

□段落の頭を１字下げているか。
□途中(とちゅう)改行をせず行末の位置を揃(そろ)えているか（原稿用紙と同様に）。
□空白行や「　」で、自分の言葉と人の言葉が区別されているか。
□常体文（だ・である）で統一しているか。
□話し言葉、「思う」「考える」「わかった」を多用していないか。
□見出しはゴシック体、他は明朝体になっているか。
□英数字は原則半角になっているか。
□引用が長くないか（10行以下が目安）。同じ資料からの引用が多すぎないか。
□写真や図表はレイアウトで「文字列の折り返し」をしているか。
□写真や図表にはキャプション（見出し、説明文）をつけているか。写真は撮影(さつえい)者を明記しているか。
□ページ番号が入っているか。

◆出典（参考引用文献）のルール◆

□引用の最後に「文献表示」があるか。
□文献表示と参考引用文献リストは対応しているか。
□信頼できるネット情報を使っているか。個人・匿名(とくめい)サイト／まとめサイト／動画／SNS情報／Wikipedia／大学生の論文等を使っていないか。
□ネット情報の出典記述は正しいか。

◆研究論文のテーマと構成◆

□テーマ（問い）と結論（答え）が対応しているか。
□「はじめに」「目次」「参考引用文献リスト」「おわりに」があるか。

おわりに　あなたはナニモノ？

この本の「はじめに」で、「探究学習の道のりはマイテーマ探しとほとんど同じ」と書きました。「なにを題材・テーマにしたらいいんだろう？」、みなさん相当に頭を悩ませたことでしょう。実は、大学生になっても大人になっても、同じ悩みは尽きないのです。

研究論文の、書き方や作法やルールについて書かれた本はたくさんあります。でも「テーマ探しをテーマにした本」というのはあまりありません。マイテーマと出会いのある、大変でも楽しい探究学習の実現を心から願っています。

振り返って、「なぜ探究学習なのか」をここでもう一度考えてみます。興味のあることを楽しく学んでほしい、それは言うまでもありません。ものを調べたり書いたりする力（情報活用能力）が身に付く？　たしかにそんな力もついてくるでしょう。でも、それよりもっと大切なことがあります。**「なにをマイテーマに学ぶ？」という問いが、実は「あなたはいったい何者？」という問いにもつながっているから**、探究学習は大切なのです。もちろん、マリモやカラオケを学んだ生徒が、みな植物学者になったりカラオケ業界に就職したりするわけではありません。「学校時代のある時、自分でテーマを決めてマリモやカラオケを夢中に学んだ」という道のりが大切なのです。なぜなら、いつになるかはわかりませんが、そうした経験の中のなにかが、「自分は何者なのか」という問いへの答えを、ゆっくりと連れてきてくれるからです。

一度や二度の探究学習で自分の将来が決まるほど、コトは簡単ではありません。しかし、自分で決めて進めた学び（主体的で自律的な学習）が積み重なると、不思議なことが起こるのです。気づかないうちに学んだあれこれが繋がり合って、読むべき本や会うべき人との出会いが生まれ、挑戦に値する大きなテーマが、あなたの前にその姿を現しはじめます。

振り返ってからしかわからないことですが、探究学習は心の中に消えることのない星を生み出します。いくつもの星々が輝けば、いずれあなただけの星座が生まれます。この本を通じ、小さいながらも変わることのない輝きを持った星を、ひとつでもふたつでもあなたの中に見つけてくれたらうれしいです。

おわりに

「マイテーマの探し方の本を作りませんか」。筑摩書房の金子千里さんからお話を頂いたのは2020年11月でした。本が完成するまでは、それこそ探究学習と同じ、ジグザグした道のりでした。コロナ禍のなか、リモート会議で伴走していただいたおかげで、なんとか形になりました。ありがとうございました。

清教学園中・高等学校の卒業生、道下なつさんと山本理紗さんには、カラオケとディズニーランドの論文の一部とアイデアの利用を、快諾していただきました。本当にありがとう。「今でも卒業論文の経験を大事に思っています」、というメールに感激しました。同時に、タイトルや感想を紹介させてもらった、多くの卒業生のみなさんにも感謝です。

最後に、これまでの探究学習をともに支えてくれた清教学園学校図書館リブラリアの先生方、スタッフのみなさんへ。司書室での議論（半分以上は馬鹿ばなし）がなければ、この本はできませんでした。心から感謝いたします。

次に読んでほしい本

小笠原喜康・片岡則夫
『中高生からの論文入門』
講談社現代新書、2019年

石黒圭
『この1冊できちんと書ける！
論文・レポートの基本』
日本実業出版社、2012年

研究論文の書き方の本はたくさん出ています。大学生向けのものが多いですが、右の本は比較的わかりやすいのでおすすめします。

後藤芳文ほか『学びの技――14歳からの探究・論文・プレゼンテーション』玉川大学出版部、2014年

テーマ設定、情報収集、発表など、さまざまな技術を紹介している本です。

図書館振興財団　主催「図書館を使った調べる学習コンクール」
https://concours.toshokan.or.jp/contest—detail/

本ではないのですが、調べる学習や研究論文ができたら、コンクールに応募してみませんか。毎年秋に募集があります。自治体によっては地域コンクールも開催しています。10万点を超える作品が集まる日本で最大級のコンクールです。コンクールのサイトでは、過去の入賞作がたくさん紹介されていますので、参考にして下さい。

片岡則夫

かたおか・のりお

1963年神奈川県生まれ。東京学芸大学大学院修了。神奈川県立厚木商業高校で図書館を利用した授業「大航海」の実践を始める。清教学園において図書館を使った探究学習・論文作成を実践指導、15年間で約3000名の中高生のマイテーマ探しを見守ってきた。現在、清教学園中・高等学校探究科教諭・図書館振興財団教育支援担当。「図書館を使った調べる学習コンクール」審査員。著書に、『中高生からの論文入門』(共著、講談社現代新書)、『情報大航海術』(リブリオ出版)、『「なんでも学べる学校図書館」をつくる』(編著、少年写真新聞社)などがある。

ちくまQブックス

マイテーマの探し方

探究学習ってどうやるの?

2021年11月20日　初版第一刷発行
2024年11月10日　初版第六刷発行

著　者　片岡則夫
装　幀　鈴木千佳子
発行者　増田健史
発行所　株式会社筑摩書房
東京都台東区蔵前2-5-3　〒111-8755
電話番号03-5687-2601(代表)
印刷・製本　中央精版印刷株式会社

ISBN978-4-480-25117-6 C0300